L'Auberge des Trois Pendus.

FANTASTIC FRENCH FICTION
OF
MYSTERY AND EMOTION

EDITED WITH INTRODUCTION, NOTES, AND VOCABULARY

BY

JAMES BURTON THARP, Ph.D.

OHIO STATE UNIVERSITY

NEW YORK
PRENTICE-HALL, INC.
1929

TO

MY DAUGHTERS

ROSEMARY ELLA

AND

ACACIA DELLA

PREFACE

This collection of fantastic stories is intended for a second-year rapid-reading text. The keynote of the whole book is meant to be *interest*, without a sacrifice of the quality of literary value. The stories are arranged chronologically, with the exception of *Le train 081*, which, the most recent of all, is placed where it is because its quality of mystery is somewhat akin to that of *L'Oeil invisible*. It also, being short, acts as a relief between two long stories.

None of these stories has been edited for class use before, so far as can be ascertained, and Schwob and Villiers de l'Isle-Adam are appearing for the first time in an American edition.

The innovation of the separation of linguistic notes from notes on allusions to names of persons and places, and the placing of the former as footnotes, is felt to be justified by the purpose of the book. The footnotes are intended to be aids to rapid comprehension of the text and suggestions for self-help in solving certain syntactical problems. As such, they are placed in the most readily accessible place to make more certain their constant use. Notes on allusions are of less importance—from the student's point of view, at least—and therefore have been placed at the back of the book. The presence of such a note is always indicated in the text by the sign °.

As far as can be subjectively estimated, it is the editor's opinion that the vocabulary involved in these stories progresses in difficulty in the present arrangement. Certain it is that Villiers de l'Isle-Adam is the most difficult because of his frequent use of neoclassic words and neologisms.

The Vocabulary is not meant to be complete. Words which, in this text, have both form and meaning identical in French and English, and others which are closely similar, have not been included. If the interest of these stories develops, along with speed, a certain ingenuity and self-confidence in the use of inference, with no sacrifice of accuracy, students should *not* stop to look up such expressions, and their inclusion would be an insult to the reader's intelligence. However, until first-year grammars make a uniform practice of using word-counts as a basis for vocabularies, the editor has felt justified in including some words of high frequency and some common idioms.

I wish to thank Mr. Marcus Goldman of the Department of English, University of Illinois, for reading the *Introduction;* my former colleague, Mlle Suzanne Kissel, for reading the proof; and Prof. Louis Cons, Head of the Department of Romance Languages, Swarthmore, for many valuable suggestions.

J. B. T.

TABLE OF CONTENTS

BIBLIOGRAPHY

References Cited in the Introduction

1. Atkin, Ernest G.—"The Supernaturalism of Maupassant," *Publications of the Modern Language Association*, XLII, 1: 185–220, March, 1927.
2. Berthelot, Philippe—"Marcel Schwob" in *La Grande Encylopédie*, XXIX: 790.
3. Clarétie, Jules—"Erckmann-Chatrian," Paris, Quantin, 1883.
4. Gautier, Théophile—"Étude sur les contes fantastiques d'Hoffmann," preface to *Contes fantastiques*, traduits par X. Marmier, Paris, Charpentier, 1874.
5. Gourmont, Remy de—*Promenades littéraires*, Série IV, 1920, p. 78–80.
6. Lumbroso, A.—"Souvenirs sur Maupassant," Rome, Bocca, 1905.
7. Mauclair, Camille—"Le Génie d'Edgar Poe; influence en France," Paris, Michel, 1925.
8. Maupassant, Guy de—"La Main" (in *Contes du jour et de la nuit*, p. 160), *Oeuvres*, Paris, Conard, 1908.
9.   —"Le Horla" (Editor's note, *Le Horla*, p. 49), *Oeuvres*, Paris, Conard, 1908.
10. Maynial, Ed.—"La Vie et l'Oeuvre de Guy de Maupassant," Paris, *Mercure de France*, 1907.
11. Montégut, Émile—"Des Fées et de leur littérature en France," *Revue des Deux Mondes*, Série II, XXXVIII: 648–, 1 avril, 1862.
12. Moore, Olin H.—"The Romanticism of Guy de Maupassant," *Publication of the Modern Language Association*, XXXIII, 1: 96–134, March, 1918.
13. Normandy, Georges—"La Fin de Maupassant," Paris, Michel, 1927.

14. Pontavice de Heussey, Vicomte Robert de—"Villiers de l'Isle-Adam: his Life and Works," translated by Lady Mary Boyd, London, Heineman, 1894.

15. Retinger, Joseph—"Le Conte fantastique dans le Romantisme français," Paris, Grasset, 1909.

16. Riddell, Agnes R.—"Flaubert and Maupassant: a literary relationship" (thesis), Chicago, U. of Chicago Press, 1920.

17. Thomas, Louis—"La Maladie et la mort de Maupassant," Bruges, A. Herbert; also in *Mercure de France*, 1 juin, 1905.

Other Suggested References

Matthey, Hubert—"Essai sur le merveilleux dans la littérature française depuis 1800," Paris, Payot, 1915.

Remusat, Paul de—"Le Merveilleux autrefois et aujourd'hui," *Revue des Deux Mondes*, Série II, XXXVI: 347, 15 nov., 1861.

Breuillac, Marcel—"Hoffmann en France," *Revue d'Histoire littéraire de la France*, XIII: 427 (1906); XIV: 74 (1907).

Montégut, Émile—"Dramaturges et Romanciers," Paris, Hachette, 1890.

Ducamp, Maxime—"Théophile Gautier," Paris, Hachette, 1907.

Mauclair, Camille—"Reflexions sur M. Schwob," *Mercure de France*, XX: 457 (1896).

Editions from Which the Stories are Taken

Avatar—*Romans et Contes*, Paris, Charpentier, 1923.

L'Oeil Invisible—*Contes fantastiques*, Paris, Nourry, 1926.

Le Train 081—*Coeur double*, Paris, Crès, 1921.

Le Horla—*Le Horla*, Paris, Michel, 1926.

La Torture par l'Espérance—*Oeuvres Complètes de Villiers de l'Isle-Adam*, Tome III, *Nouveaux Contes Cruels*, Paris, *Mercure de France*, 1922–24.

Les Phantasmes de M. Redoux—*Oeuvres*, Tome VI, *Histoires Insolites*.

INTRODUCTION

The fantastic element in French literature can trace its ancestry to earliest antiquity. Early literatures of all peoples are likely to be full of the supernatural, and the French *chanson de geste* has its portion of the marvelous element. It has been claimed that France is not a natural habitat of supernatural beings created by man's imagination; that they came into France from the Orient and the North and became adapted to the French mind (11*). In any case, the marvelous element has long been in France; and the mediæval bestiary, which relates the adventures of Master Fox, the *Gargantua* of Rabelais, and *l'Astrée* and its nymphs, are only a few of the works that mark its trends before Perrault assembled his fairy stories in the seventeenth century.

Perrault's tales were followed by others (those of Mme. Aulnoy and Mme. Leprince-Beaumont, for example) of the next century, but the philosophical mind of the eighteenth century began to ask for something more reasonable. It is curious that eighteenth-century France, which took such pride in the coming of Reason, should find such delight in being duped by Cagliostro, Mesmer, and such charlatans. People no longer cared for miracles, but they liked marvels. The more natural the illusions seemed, the better they liked them. It would naturally follow that such a fashion would call forth stories about sorcery and witchcraft, such as Florian's *Valérie* and the *Mémoires d'un colporteur* (1748) of the comte de Caylus.

Of such stories, Jacques Cazotte's *Le diable amoureux* (1772) was the most famous, perhaps because it showed such a trend toward being natural. It is full of the adventures of a demon incarnated in a woman, who falls in love with a man. This woman is so nearly human that she almost dies when she is

---

* Boldface numbers refer to Bibliography.

1

stabbed by a rival mistress. This story has been called the
first *fantastic* story in France (15).

Late in the eighteenth century the "tale of terror" reached
a great vogue in England in the novels of Anne Radcliffe, the
"Monk" of Lewis and "Melmoth" of Maturin, in which the
so-called "explained supernatural" played a great part. These
novels were translated and imitated across the channel, but
the greatest influence on the fantastic stories of the romanticists came from Germany. There, early in the nineteenth
century, Chamisso had published his *Peter Schlemihl*, the
story of the man who sold his shadow to the devil. There,
also, E. T. A. Hoffmann, a musician who wrote stories "to
keep the pot boiling," happened to possess a style which made
old light-opera themes, like that of the *Magic Flute*, readily
salable. He made his "supernatural" appear "natural," and
when the young French romanticists began to cast about for
foreign material to write about and found Hoffmann, his
vogue became so great that his works were translated into a
twenty-volume French edition within a decade after his death
(1822) and were continually reappearing throughout the
century.

Why all this popularity? asks Théophile Gautier (4). "Le
Français n'est pas naturellement fantastique et en vérité il
n'est guère facile de l'être dans un pays où il y a tant de
réverbères et de journaux. Le demi-jour, si nécessaire au
fantastique, n'existe en France, ni dans la pensée ni dans la
langue, ni dans les maisons; avec une pensée voltairienne, une
lampe de cristal et de grandes fenêtres, un conte d'Hoffmann
est bien la chose du monde la plus impossible." What French-
man could see blue serpents in the arcade of the rue de Rivoli?
Gautier goes on to ask. After all, "que viendrait faire le
diable à Paris?" He would find people as devilish as himself
and would be done in like a country bumpkin. They would
take his money at *écarté*, make him buy stock in some scheme,
and if his papers were not in order, put him in jail.

The young romanticists had something of a spiritual father
in Charles Nodier, who, admiring Hoffmann immensely, chose

to write in the new genre and attempted to define it. There is a "false" fantastic, says Nodier in his *Contes de la Veillée*, such as that in a fairy story by Perrault, whose charm comes from the double credulity of the writer and the reader; a "vague" fantastic, which leaves the mind suspended in melancholy, dreamy doubt, puts one to sleep like a melody and cradles one like a dream; and a "true" fantastic—the best of all—which shakes the heart without sacrificing reason. Nodier thought that he wrote "true" fantastic and that Hoffmann was "vague." Subsequent criticism, however, has practically reversed the decision. Some romanticists, like Gérard de Nerval and George Sand, seemed to follow the lead of Nodier, but others, such as Mérimée and Gautier, followed Hoffmann and surpassed him in the "naturalization" of the *marvelous*.

What, then, is the new fantastic? Three stages may be distinguished in the interpretation of facts throughout the ages: the *fantastic*, the *marvelous*, and the *natural*. A natural fact is one which submits itself to a law of nature, regardless of whether or not that law is known to man, so long as it has been established by the commonness of recurrence. It is a trait of the human mind to establish hitherto unknown laws of nature by basing theories on certain series of observed facts. A phenomenon ascribed to a cause arising from a product of the human imagination—like fairies, demons, angels, or gods—belongs to the marvelous.

A phenomenon is fantastic when its cause is unknown, or when it is submitted to a hypothesis not yet established or commonly known, even though in its literary handling it appears natural and real from the evidence of observed detail.

It follows that the terms *marvelous* and *fantastic* are considerably opposed and have been much confused. It does not necessarily follow that fantastic events become marvelous on their way to the natural. Many actions in human experience and literature have never become natural, and the marvelous element has been crowded out, except in spots, by the coming of reason and the scientific method of thought.

This process of mind, while beginning in the eighteenth

century with the philosophers, did not make much headway against reactionary thinking until, after the turn of the nineteenth century, it began to mark an age of scientific discovery. In literature, the period beginning with the year 1850 gave birth to the realistic school, and authors began to write stories of real life, documented by real events or fancied events given out as real. The date 1850 marks the death of Balzac and Poe (Poe died in October, 1849), of whom the first fathered the realistic method, and the second the short-story form. The same date marks the birth of Maupassant, in whose hands the *genre* was to reach its highest perfection in France.

The beliefs of the person who is reading a story become a matter of prime importance in determining whether it is fantastic, marvelous, or natural. If the author has not hinted at the causes of unusual events, the reader may ascribe them to supernatural beings of his own imagination and find the story *marvelous*. If he does not admit of such beings but sees, in the events, evidence in support of some hypothesis presumably natural but not yet established, or if the causes are absolutely unknown to him, the story appears *fantastic*. Not all authors keep their opinions out of their stories, but the objective method is a feature of realism. It follows, then, that in the absence of credulity in the marvelous, in writer and reader, the fantastic story, in order to be really fantastic, must keep one step ahead of the accepted scientific knowledge of the masses. It must at all times seem natural; it is in the *realism* of the UNKNOWN that one finds the true fantastic.

Théophile Gautier (1811–1872) began his literary career as one of the most flamboyant of romanticists and lived to see romanticism die and be replaced by realism. He would have been an artist but for a defect of vision, and his sense of the beautiful made him one of the first to see the artificiality of romantic standards. He left the school, not as a deserter, but as one who moves on to better things.

At the age of nineteen he expressed in an article his early delight and admiration for Hoffmann. He delved into magic, witchcraft, dreams, and mysterious powers. He began to handle the fantastic story early and stayed at it late. In *La Morte amoureuse*, *Arria Marcella*, *Le Pied de Momie*, and *La Cafetière*, he made use of the dream technique, so realistically developed by Mérimée. In *Spirite* he used the spiritualism of Swedenborg, already essayed in fiction by Balzac in *Louis Lambert* and *Séraphita*. The conflict of a dual personality of *Chevalier double* is like Poe's *William Wilson* and Musset's *Nuit de décembre*.

The tale *Avatar* is almost wholly in the realm of the fantastic. Gautier's debt to Hoffmann for inspiration is apparent in many references, such as "un conte fantastique d'Hoffmann" and "le docteur hoffmanique." The only thing in this tale in the nature of the marvelous, however, is the magic word of the doctor. Even then, Gautier tried to make it real by describing the long painful way his character had acquired it.

In the romantically inclined Gautier, in his development of realism by the use of well-chosen detail, more or less scientifically observed, we see demonstrated the transition, in the handling of the unknown and inexplicable, from the vague *naïf* terrain of the marvelous of supernatural beings to the firm foundation of factual reality.

At the time when Théophile Gautier was writing *Avatar* and had yet to conceive *Spirite*, there were two obscure provincials from Strasbourg, in Paris, in search of literary fortune. Classmates in the same school at Phalsbourg, one the son of a bookseller, the other the son of a glassworker, they were brought together by their teacher of rhetoric; and a literary Damon-and-Pythias friendship came into being.

In 1849 they published *Histoires et Contes fantastiques par Émile Erckmann-Chatrian*, a collection of stories and fantasies *à la Hoffmann*, which had already appeared in the *Démocrate du Rhin*, signed now by one and now by the other. Erckmann alone signed the first version of *l'Illustre docteur Mathéus* in 1857 in the *Revue de Paris*, and the compound name Erckmann-Chatrian first appeared on the book which Bourdilliat published in 1859. Its success was immediate. "Ce mélange d'Hoffmann et d'Edgar Poë fit l'effet d'un mets exotique dans un repas à la française" (3). The stories in this volume were considered by Clarétie as "véritablement curieuses, attachantes, étonnantes, qui surprirent et charmèrent—une sincère étude de la vérité scientifique unie à un goût prononcé pour la chimère, un mélange de réalisme et de fantaisie." (*Ibid.*) This success was followed by other collections of stories in the same vein: *Contes fantastiques* (1860), *Contes de la montagne* (1860), *Maître Daniel Rock* (1861), *Contes des bords du Rhin* (1862), and so forth. The philosophical Erckmann would have liked to keep on; but fearing stagnation, the militant Chatrian urged that they drop *l'Araignée crabe* for the moment and write *Madame Thérèse*. This began a long series of historical-political novels which ended only with their break in 1889.

The fantastic of these Alsatian authors seems experimental, and furnishes an excellent transition out of the realm of the *marvelous* of spells, enchantments, and demons into a realistic study of the unknown by observed details. *Le Trésor du vieux seigneur* is a story based on a dream; *Hughes le loup* is much more Radcliffian; while *l'Araignée crabe* and *La Montre du doyen* are tales of horror and mystery with blood-curdling dénouements. Satanism and demonology fill many Erckmann-Chatrian pages; sometimes cruel (*Messire Tempus*), and sometimes jolly (*Le Bourgmestre en bouteille*). In *La Reine des Abeilles*, *l'Esquisse mystérieuse*, and *l'Oeil invisible* they study psychic forces. *L'Oeil invisible*, while set in Hoffmanesque tavern and town life, studies suggestion with a series of scientific observations, and points to a logical and quite fantastic conclusion at the end.

Erckmann-Chatrian drew most of their effects from legendary lore and their dénouements were nearly always explained, often so soon that the effect of surprise was lost. Their stories were mostly cast in the bourgeois circles of quiet Alsatian villages. Strange events mixed with superstitions, and a persistent religious element produce much of the "vague" fantastic of Nodier, although they were probably affected a little by the new translations of Poe, which, interested as they were in the fantastic, they must have read as they came out. Following the lead of Hoffmann's "natural" *marvelous*, and the realistic leanings of the turn of the century, they nevertheless erected a milestone too important to be ignored in the development of the *conte fantastique* in France during the last half-century.

Marcel Schwob [1] was eleven years old when a copy of Baudelaire's translation of Poe fell into his hands. He was so entranced with what he read that he went to the original English, with which he was already at ease. From that moment dates the influence of the author of the *Black Cat* on the author of *La Légende des gueux*. In that same year, the boy Marcel had an article in *Le Phare de la Loire* on Jules Verne, and his career of erudition was begun.

It is a curious coincidence that so many writers—of whose works only a part is fantastic—have begun with a fantastic tale or collection of tales. Erckmann-Chatrian began with *l'Illustre docteur Mathéus*, who, somewhat resembling the *Dr. Tribulat Bonhomet* of Villiers de l'Isle-Adam, is enough of a sorcerer to have been a fit owner for Maupassant's *Main d'écorché*. Likewise, Marcel Schwob, whose real period of productive effort is only between 1890 and 1896, gathered up some tales that had appeared in *L'Echo de Paris* and began his career the year Maupassant left off, with *Coeur double*.

Fully conversant with all the procedures of the fantastic, Schwob employs the dream in several ways: an instantaneous view of a lifetime to a little girl during the moment she is putting on her shoe (*Le Sabot*); an experience with drugs (*Les Portes de l'opium*); and an optical illusion (*Les Trois gabelous*). In *Le train 081*, the quality of Schwob's fantastic becomes purer; he applies logic to the arrangement of his details, and forces home the reality of his extraordinary incidents, eventually leading the reader to the development of a hypothesis which the author does *not* solve. The stage is

---

[1] Schwob was born in 1867, the year of Baudelaire's death. Schwob does not come at this point chronologically, but he is discussed here to conform to the arrangement of the stories in the text.

set for a *true* story. Schwob does not suggest even a trace of supernaturalism, and again and again hints at the solution. The "other" train is simply a concrete symbol of external action instead of the interior psychic action of telepathy or external autoscopy.

Mauclair relates that Marcel Schwob was called by Anatole France "duc de la pitié, prince de la terreur, roi des épouvantements" (7), but he is at the same time "observateur à la fois minutieux et fantaisiste qui mêle avec beaucoup d'art la réalité et la rêverie" (2). Marcel Schwob's fantastic is essentially symbolistic, shining in the barbaric splendor of antiquity, colored with the bizarre shades of exoticism, and hedged about with the morbid black of the macabre.

There is a theory among lovers of the occult that the soul of a dying person goes into that of a person of similar interests and abilities, and adds the experience and sagacity of one lifetime to the budding development of a kindred spirit. A similar subject, described in *conte-bleu*, fairy-tale fashion, is developed in Gautier's *Le Nid des rossignols*, in which the nightingales became the souls of Palestrina, Gluck, and Mozart. If this be true, then the soul of Poe must have gone into Baudelaire, his translator and literary affinity. Then in 1867, after Baudelaire had suffered a death in some ways worse than that of Poe, one might conceive of a division: the Baudelaire-Poe part going into the twenty-nine-year-old Villiers de l'Isle-Adam and the Poe-Baudelaire part entering the heart of the robust, athletic Guy de Maupassant, who had just turned seventeen.

It is not necessary to speak here of Maupassant's carefree childhood with the loquacious Norman fishermen, nor his reckless, pleasure-seeking youth as a Parisian government clerk. His literary apprenticeship under Flaubert has been told in detail (10, 16) and the facts of his illness and death have been revealed by research and eye-witnesses (6, 17, 13). Under the literary tutelage of Flaubert, Maupassant developed keen powers of observation and the power to write what he saw. To compel credulity, he used, almost to monotony,

Mérimée's trick of introducing narrators whose comments breathe life into their experiences.

We have insisted from the first that the prime requisite for the fantastic in literature is realism. Realism requires the scientific method of approach in which the steps are: (1) the definition of the problem, (2) reflective thinking, (3) hypotheses, (4) submission of relevant and reliable data to prove the hypotheses, and (5) conclusions based on the success with which the hypotheses stand up against the data.

Critics have written about the large part that the "supernatural" plays in the stories of Maupassant (12, 1). If "the supernatural" applies to events of which the cause cannot be explained by any natural laws, physical or spiritual (by which we mean mental), known or unknown, then we should say that there is nothing intentionally supernatural in the works of Maupassant. Least of all did Maupassant admit to his pages any supernatural being from the realm of the marvelous; he repeatedly disclaims any adherence to belief in such existences. That Maupassant admitted many extraordinary events of which the causes were unknown, that he felt challenged to study those unknown causes and that he put the details which had been observed in connection with those events into stirring stories, no one will deny; those stories are fantastic but not supernatural. Often, in fact usually, Maupassant did not state his problem. Just as often he either cleverly hid his hypotheses or left them to be supplied by the reader. The reader of a story by a Poe or a Maupassant must do all the reflective thinking and drawing of conclusions. There is room, in print, only for the carefully chosen data by which the reality of the event is hammered out with sledge-hammer blows.

Apparition, the story of a sequestered maniac made to appear like a ghost, is an example of his method. In *Auprès d'un mort*, the "ghost" is a set of false teeth; in *l'Auberge*, it is a dog, which, on being locked out in the cold, furnishes enough ghostly moanings and scratchings to drive its owner mad. In *La Main d'écorché* and *La Main* the author is telling about real hands, but the reader is sure to believe them ghostly in spite of the author's protests.

Maupassant wards off all suspicion of the supernatural and at the same time voices his whole theory of the fantastic in the preliminary remarks of the judge, the narrator in *La Main*. In the conversation about a mysterious crime, a lady had called it supernatural. The judge protested but proceeded to relate a case "où vraiment semblait se mêler quelque chose de fantastique." "N'allez pas croire, au moins," he continues, "que j'aie pu, même un instant, supposer en cette aventure quelque chose de surhumain. Je ne crois qu'aux causes normales. Mais si, au lieu d'employer le mot 'surnaturel' pour exprimer ce que nous ne comprenons pas, nous nous servions simplement du mot 'inexplicable' cela vaudrait beaucoup mieux" (8).

Maupassant has several stories of fear and the perverse, but *le Horla* is a treatment of psychic forces, observed and reported according to his method, on his own malady. Maupassant had trouble with his eyes as early as 1880, the year of his début in literature. By 1887 his left pupil was dilated and neither iris was able to adjust itself to light. *Lui?* tells of a case of external autoscopy, much like one he told of himself to a friend; a case in which he saw *himself* apart as a different person.

The story of Maupassant's dread of his approaching madness and his decision to avoid it with suicide is told in brutal detail by Normandy. We are told of his unhappy descent into "la maison Blanche" and of his hallucinations there: among others, that his faithful valet François had stolen millions from him. We are told of his spiritual communions with his invalid mother at Nice and with the happier Hervé, the brother who had died under similar conditions four years earlier. We are told of his blasphemy of God and Christ. This, however, is only important to us in corroborating Maupassant's intermittent states of abnormality, concealed by him for so long, but cropping out inevitably in his work, wherein he was so accustomed to use the knowledge he had gained from observation.

The story *le Horla* has almost universally been called the work of a man already insane. The first version appeared in 1886 in the literary periodical *Gil Blas*. The next year Maupassant revised it, corrected some faults and more than tripled its length, adding a long account of a trip to Paris (omitted in this text) in which he described some examples of hypnotism.

Maupassant undoubtedly wanted to study the life of a man afflicted with somnambulism and interested in autoscopy. He chose two hypotheses: one the abnormal visions of a disordered brain; the other a sort of huge, unfathomable, intangible *microbe*, a being, invisible as air but with power no less manifest than that of air in the form of a tornado. That this being could sap life away, like a vampire, is more and more credible as scientists succeed in isolating the causes of disease. As we have shown before, Maupassant repeatedly tells the actual facts which prove one hypothesis, a hypothesis as strange and unknown as life itself has been since the dawn of time, and just as persistently directs attention to details which point to another hypothesis which he has rejected so often that we should believe him by this time.

Le Horla created quite a stir and much talk. Had Maupassant, who never would even allow his photograph to appear in the papers, intended it for a roussellian confession, instead of a fantastic story which studied unexplainable facts in a scientific way, while pulling wool over its reader's eyes by appealing to his superstitions, he would never have treated the matter as his editor Conard reports: "La publication de ce volume causa une surprise très vive parmi les nombreux lecteurs de Maupassant, habitués à des sujets moins obscurs. *Le Horla* donna lieu aux commentaires les plus divers. Quelques jours après sa publication, Maupassant, de passage à Rouen, racontait en riant à son ami Pinchon, l'émotion que produisait sa nouvelle" (9).

Little comment is necessary. Maupassant studied the unexplainable with all the reality of detail that his medical readings and observations, his consciousness of his own symptoms of external autoscopy, defective vision, insomnia and somnambulism, and his study of the supernatural and the psychic, could command; and with the perfection of form in narrative that only Maupassant has ever acquired.

In many ways, the fantastic short story has not progressed beyond the point to which Maupassant brought it. New vistas have opened up in the mechanical world and in the invisible realm of the psychic, and imaginations are still studying problems and proposing plausible hypotheses which they proceed to bolster up with real observed incidents; but no one has done it better—while keeping himself strictly aloof from the agencies of the *marvelous* and building up logical, dove-tailing facts into irresistible reality—than the dissolute, robust, myopic, clairvoyant, snobbish, splendid Guy de Maupassant who bade us say—not "supernatural," but "unexplained."

The soul of Baudelaire-Poe must have entered Mathias Villiers de l'Isle-Adam, because the very year of Baudelaire's death (1867) Villiers published two fantastic stories of Baudelairian tone and Poesque form and intrigue. He had entered definitely into a literary career at the age of nineteen and had become a contributor to the *Revue fantaisiste*. At the "cénacle" of its director, Catulle Mendès, he had met and become intimate with Charles Asselineau, Théodore de Banville, and, among others, Charles Baudelaire. The Baudelaire of the mulatto mistress and gaudy silks may not have been good for him. "It developed his taste for extremes and for mystification—inspired him with that mania for making the middle class stare, 'épater le bourgeois,' and for mystifying his readers" (14). Through Baudelaire, Villiers came to know Edgar Allan Poe, whose stories Baudelaire was translating. Villiers knew Poe's work so well that he could recite whole stories, and follow them with improvisations of his own just as fantastic.

There was a notorious dearth of literature of any kind during the decade after the humiliation at the hands of Prussia, and the fantastic suffered along with the other genres.

But the decade that marked the tremendous vogue of Maupassant accepted also in quick succession from the pen of Villiers: *Contes Cruels* (1883), *l'Eve future* (1886), *Tribulat Bonhomet* (1887), and *Histoires Insolites* (sometimes published as *Derniers Contes*) and *Nouveaux Contes Cruels* (1888). He had found what his public wanted and, whether he purposely imitated Poe or not, he at least found material, tone, form, and inspiration in the American master for a field of literature to be exploited.

Villiers went in for the fantastic of the pseudo-scientific in his series of stories in which "Dr. Tribulat Bonhomet" appears, in his story of the mechanical woman, *l'Eve future*, and in several *contes* in which he treats scientific PROGRESS somewhat ironically (*l'Analyse chimique du dernier soupir*, *l'Héroïsme du docteur Hallidonhill*, and others). He touched on the psychic in *Sylvabel* and *l'Intersigne*, as well as in *l'Eve future*, but he is especially Poesque in his stories of emotion. *La Torture par l'espérance* is a masterpiece of poignant emotion equaling in suspense Poe's *Tell-Tale Heart*, rivaling in impending danger Poe's *Pit and the Pendulum*, like itself, a story of the Spanish Inquisition. *Les Phantasmes de M. Redoux* is a careful psychological study of fear, told in Villiers' ironical vein, and ending in a farce.

"Villiers reste cela, le conteur," says Remy de Gourmont, "en somme notre Edgar Poe" (5), and, like the American, he has had to wait a long time for the attention which his works merit. Villiers de l'Isle-Adam is just lately coming to serious attention in France although he had his followers during his lifetime. Remy de Gourmont relates that Rosita Mauri once came dashing into the editorial offices of *Gil Blas* and upbraided the director for printing trash when Villiers de l'Isle-Adam was available and waiting for recognition. Gourmont remarks dryly, "Tâchons d'élever notre goût littéraire à la hauteur de celui d'une danseuse de l'Opéra" (5).

The supernatural in French literature is dead. Only the genius of a Maeterlinck, a Rostand, or a Barrie could write for the interest of grown-ups a *Oiseau bleu*, a *Princesse lointaine*, or a *Peter Pan.* The marvelous of fairy, demon, and saint has given way before the natural realm of science and physical reality, and before the truth of the mind and spiritual reality. Yet for all that, there are bold writers still who, like a new Christopher Columbus, dare to set sail westward into the unknown, far beyond the Pillars of Hercules, which science has labelled "Hic deficit omnes." Who knows what new worlds they may open to future colonization?

AVATAR

AVATAR°

Octave de Saville, a rich young Parisian, is slowly dying.
Doctors can find no cause for his failing health. As a last
resort, his family consults Dr. Balthazar Cherbonneau, who
has studied long in India and has learned there the secret word
by which he can separate the soul from the body. Octave tells
the doctor of his hopeless passion for Prascovie, the beautiful
wife of Count Olaf Labinski, who adores her husband. At first
Octave is startled by the fantastic proposal which the doctor
insists is the sole means of preventing certain death from his
love madness.

—Que voulez-vous dire, docteur? s'écria Octave; je n'ose
sonder l'effrayante profondeur de votre pensée.

—Je veux dire, répondit tranquillement M. Balthazar
Cherbonneau, que je n'ai pas oublié la formule magique de
mon ami Brahma-Logum, et que la comtesse Prascovie
serait bien fine si elle reconnaissait l'âme d'Octave de Saville
dans le corps d'Olaf Labinski.»

V

La réputation du docteur Balthazar Cherbonneau comme
médecin et comme thaumaturge commençait à se répandre
dans Paris; ses bizarreries, affectées ou vraies, l'avaient mis
à la mode. Mais, loin de chercher à se faire, comme on dit,
une clientèle, il s'efforçait de rebuter les malades en leur 5
fermant sa porte ou en leur ordonnant des prescriptions
étranges, des régimes impossibles. Il n'acceptait que des
cas désespérés, renvoyant à ses confrères avec un dédain
superbe les vulgaires fluxions de poitrine, les banales
entérites, les bourgeoises fièvres typhoïdes, et dans ces 10
occasions suprêmes il obtenait des guérisons vraiment
inconcevables. Debout à côté du lit, il faisait des gestes

17

magiques sur une tasse d'eau, et des corps déjà roides et
froids, tout prêts pour le cercueil, après avoir avalé quelques
gouttes de ce breuvage en desserrant des mâchoires crispées
par l'agonie, reprenaient la souplesse de la vie, les couleurs
5 de la santé, et se redressaient sur leur séant, promenant
autour d'eux des regards accoutumés déjà aux ombres du
tombeau. Aussi [1] l'appelait-on le médecin des morts ou le
résurrectionniste. Encore [1] ne consentait-il pas toujours à
opérer ces cures, et souvent refusait-il des sommes énormes
10 de la part de riches moribonds. Pour qu'il se décidât à
entrer en lutte avec la destruction, il fallait qu'il fût touché
de la douleur d'une mère implorant le salut d'un enfant
unique, du désespoir d'un amant demandant la grâce d'une
maîtresse adorée, ou qu'il jugeât la vie menacée utile à la
15 poésie, à la science et au progrès du genre humain. Il sauva
de la sorte un charmant baby dont [2] le croup serrait la gorge
avec ses doigts de fer, une délicieuse jeune fille phthisique
au dernier degré, un poëte en proie au *delirium tremens*, un
inventeur attaqué d'une congestion cérébrale et qui allait
20 enfouir le secret de sa découverte sous quelques pelletées de
terre. Autrement il disait qu'on ne devait pas contrarier la
nature, que certaines morts avaient leur raison d'être, et
qu'on risquait, en les empêchant, de déranger quelque chose
dans l'ordre universel. Vous voyez bien que M. Balthazar
25 Cherbonneau était le docteur le plus paradoxal du monde, et
qu'il avait rapporté de l'Inde une excentricité complète;
mais sa renommée de magnétiseur l'emportait encore sur sa
gloire de médecin; il avait donné devant un petit nombre
d'élus quelques séances dont on racontait des merveilles à
30 troubler toutes les notions du possible ou de l'impossible, et
qui dépassaient les prodiges de Cagliostro°.

---

[1] **Aussi; Encore.** When such expressions begin a sentence, it is
customary to use interrogative word order in the verb.

[2] **dont . . . la gorge.** In English, "whose" must be followed
directly by the word it modifies, regardless of its use in the sentence.
In French, such a word must obey the order of its use; the object of a
verb usually follows the verb.

Le docteur habitait le rez-de-chaussée d'un vieil hôtel de la rue du Regard, un appartement en enfilade comme on les faisait jadis, et dont les hautes fenêtres ouvraient sur un jardin planté de grands arbres au tronc noir, au grêle feuillage vert. Quoiqu'on fût en été, de puissants calorifères 5 soufflaient par leurs bouches grillées de laiton des trombes d'air brûlant dans les vastes salles, et en maintenaient la température à trente-cinq ou quarante degrés [3] de chaleur, car M. Balthazar Cherbonneau, habitué au climat incendiaire de l'Inde, grelottait à nos pâles soleils, comme ce 10 voyageur qui, revenu des sources du Nil Bleu, dans l'Afrique centrale, tremblait de froid au Caire, et il ne sortait jamais qu'en voiture fermée, frileusement emmaillotté d'une pelisse de renard bleu de Sibérie, et les pieds posés sur un manchon de fer-blanc rempli d'eau bouillante. 15

Dans la salle du fond, chauffée plus fortement encore que les autres, se tenait M. Balthazar Cherbonneau, entouré de livres sanscrits tracés au poinçon sur de minces lames de bois percées d'un trou et réunies par un cordon de manière à ressembler plus à des persiennes qu'à des volumes comme les 20 entend la librairie européenne. Une machine électrique, avec ses bouteilles remplies de feuilles d'or et ses disques de verre tournés par des manivelles, élevait sa silhouette inquiétante et compliquée au milieu de la chambre, à côté d'un baquet mesmérique° où plongeait une lance de métal et 25 d'où rayonnaient de nombreuses tiges de fer. M. Cherbonneau n'était rien moins que [4] charlatan et ne cherchait pas la mise en scène, mais cependant il était difficile de pénétrer dans cette retraite bizarre sans éprouver un peu de l'impression que[5] devaient causer[6] autrefois les laboratoires d'alchimie. 30

---

[3] quarante degrés. This is by *Centigrade*. How hot is it by *Fahrenheit?*

[4] n'était rien moins que, " was anything but."

[5] que. The objective form followed by inverted word order; a relative clause used often by Gautier. In English, use the real subject just after the relative, or put the verb in the passive, supplying " by."

[6] devaient causer. The imperfect of *devoir* has often in literary style the force of the past indefinite of conversation, "must have caused."

Le comte Olaf Labinski avait entendu parler des miracles
réalisés par le docteur, et sa curiosité demicrédule s'était
allumée.   Les races slaves ont un penchant naturel au
merveilleux, que [5] ne corrige pas toujours l'éducation la plus
5 soignée, et d'ailleurs des témoins dignes de foi [7] qui avaient
assisté à ces séances en disaient de ces choses [8] qu'on ne peut
croire sans les avoir vues, quelque confiance qu'on ait dans
le narrateur.   Il alla donc visiter le thaumaturge.

Lorsque le comte Labinski entra chez le docteur Balthazar
10 Cherbonneau, il se sentit comme entouré d'une vague
flamme; tout son sang afflua vers sa tête, les veines des
tempes lui [9] sifflèrent; l'extrême chaleur qui régnait dans
l'appartement le suffoquait; les lampes où brûlaient des
huiles aromatiques, les larges fleurs de Java balançant leurs
15 énormes calices comme des encensoirs l'enivraient de leurs
émanations vertigineuses et de leurs parfums asphyxiants.
Il fit quelques pas en chancelant vers M. Cherbonneau, qui
se tenait accroupi sur son divan, dans une de ces étranges
poses de fakir ou de sannyâsi, dont le prince Soltikoff° a si
20 pittoresquement illustré son voyage de l'Inde.   On eût dit,[10]
à le voir dessinant les angles de ses articulations sous les
plis de ses vêtements, une araignée humaine pelotonnée au
milieu de sa toile et se tenant immobile devant sa proie.   A
l'apparition du comte, ses prunelles de turquoise s'illumi-
25 nèrent de lueurs phosphorescentes au centre de leur orbite
dorée du bistre de l'hépatite, et s'éteignirent aussitôt comme
recouvertes [11] par une taie volontaire.   Le docteur étendit
la main vers Olaf, dont il comprit le malaise, et en deux ou

---

[7] **dignes de foi,** "important enough to be believed."

[8] **en disaient de ces choses.** **En** refers to **séances, de** indicates a
partitive before the preceding modifier, **ces.**

[9] **lui.** An indirect object replacing the possessive adjective with
parts of the body or articles of clothing.

[10] **eût dit.** The pluperfect subjunctive is often used in independent
clauses with the force of the conditional perfect.

[11] **comme recouvertes.** Gautier uses **comme** repeatedly in its
meaning *comme si.*

trois passes l'entoura d'une atmosphère de printemps, lui
créant un frais paradis dans cet enfer de chaleur.

«Vous trouvez-vous mieux à présent? Vos poumons,
habitués aux brises de la Baltique qui arrivent toutes
froides encore de s'être roulées sur les neiges centenaires du 5
pôle, devaient [12] haleter comme des soufflets de forge à cet
air brûlant, où cependant je grelotte, moi, cuit, recuit et
comme calciné aux fournaises du soleil.»

Le comte Olaf Labinski fit un signe pour témoigner qu'il
ne souffrait plus de la haute température de l'appartement. 10

«Eh bien, dit le docteur avec un accent de bonhomie,
vous avez entendu parler sans doute de mes tours de passe-
passe, et vous voulez avoir un échantillon de mon savoir-
faire; oh! je suis plus fort que Comus°, Comte° ou Bosco°.

—Ma curiosité n'est pas si frivole, répondit le comte, et 15
j'ai plus de respect pour un des princes de la science.

—Je ne suis pas un savant dans l'acception qu'on donne à
ce mot; mais au contraire, en étudiant certaines choses que
la science dédaigne, je me suis rendu maître de forces
occultes inemployées, et je produis des effets qui semblent 20
merveilleux, quoique naturels. A force de la guetter, j'ai
quelquefois surpris l'âme, — elle m'a fait des confidences [13]
dont j'ai profité et dit des mots que j'ai retenus. L'esprit
est tout, la matière n'existe qu'en apparence; l'univers n'est
peut-être qu'un rêve de Dieu ou qu'une irradiation du 25
Verbe dans l'immensité. Je chiffonne à mon gré la guenille°
du corps, j'arrête ou je précipite la vie, je déplace les sens, je
supprime l'espace, j'anéantis la douleur sans avoir besoin de
chloroforme, d'éther ou de toute autre drogue anesthésique.
Armé de la volonté, cette électricité intellectuelle, je vivifie 30
ou je foudroie. Rien n'est plus [14] opaque pour mes yeux;
mon regard traverse tout; je vois distinctement les rayons
de la pensée, et comme on projette les spectres solaires sur

---

[12] devaient. See note 6, page 19.
[13] confidences. Distinguish from *confiance*, which means "trust,
reliance."
[14] plus. The negation, not the comparative of opaque.

un écran, je peux les faire passer par mon prisme invisible
et les forcer à se réfléchir sur la toile blanche de mon cerveau.
Mais tout cela est peu de chose à côté des prodiges qu'ac-
complissent certains yoghis de l'Inde, arrivés au plus
5 sublime degré d'ascétisme.   Nous autres [15] Européens, nous
sommes trop légers, trop distraits, trop futiles, trop amoureux de notre prison d'argile pour y ouvrir de bien larges
fenêtres sur l'éternité et sur l'infini.   Cependant j'ai obtenu
quelques résultats assez étranges, et vous allez en juger,» dit
10 le docteur Balthazar Cherbonneau en faisant glisser sur leur
tringle les anneaux d'une lourde portière qui masquait une
sorte d'alcôve pratiquée dans le fond de la salle.

A la clarté d'une flamme d'esprit-de-vin qui oscillait sur
un trépied de bronze, le comte Olaf Labinski aperçût un
15 spectacle effrayant qui le fit frissonner malgré sa bravoure.
Une table de marbre noir supportait le corps d'un jeune
homme nu jusqu'à la ceinture et gardant une immobilité
cadavérique; de son torse hérissé de flèches comme celui de
saint Sébastien°, il ne coulait pas une goutte de sang; on
20 l'eût pris [16] pour une image de martyr coloriée, où l'on
aurait oublié [17] de teindre de cinabre les lèvres des blessures.

«Cet étrange médecin, dit en lui-même Olaf, est peut-être
un adorateur de Shiva°, et il aura [17] sacrifié cette victime à
son idole.»

25 «Oh! il ne souffre pas du tout; piquez-le sans crainte, pas
un muscle de sa face ne bougera;» et le docteur lui enlevait
les flèches du corps, comme l'on retire les épingles d'une
pelote.

Quelques mouvements rapides de mains dégagèrent le
30 patient du réseau d'effluves qui l'emprisonnait, et il s'éveilla
le sourire de l'extase sur les lèvres comme [18] sortant d'un rêve

---

[15] nous autres Européens.   Autres is disregarded in English.   The
phenomenon is retained in the Spanish for " we," *nosotros = nos otros.*
[16] eût pris.   See note 10, page 20.
[17] aurait oublié.   The conditional of probability: use the English past
perfect and supply "probably."   Note the future of probability two
lines below.
[18] comme.   See note 11, page 20.

bienheureux. M. Balthazar Cherbonneau le congédia du geste, et il se retira par une petite porte coupée dans la boiserie dont l'alcôve était revêtue.

«J'aurais pu lui couper une jambe ou un bras sans qu'il s'en aperçût, dit le docteur en plissant ses rides en façon de 5 sourire; je ne l'ai pas fait parce que je ne crée pas encore, et que l'homme, inférieur au lézard en cela, n'a pas une sève assez puissante pour reformer les membres qu'on lui retranche. Mais si je ne crée pas, en revanche je rajeunis. Et il enleva le voile qui recouvrait une femme âgée mag- 10 nétiquement endormie sur un fauteuil, non loin de la table de marbre noir; ses traits, qui avaient pu [19] être beaux, étaient flétris, et les ravages du temps se lisaient sur les contours amaigris de ses bras, de ses épaules et de sa poitrine. Le docteur fixa sur elle pendant quelques minutes, avec une 15 intensité opiniâtre, les regards de ses prunelles bleues; les lignes altérées se raffermirent, le galbe du sein reprit sa pureté virginale, une chair blanche et satinée remplit les maigreurs du col; les joues s'arrondirent et se veloutèrent comme des pêches de toute la fraîcheur de la jeunesse; les 20 yeux s'ouvrirent scintillants dans un fluide vivace; le masque de vieillesse, enlevé comme par magie, laissait voir la belle jeune femme disparue depuis longtemps.

«Croyez-vous que la fontaine de Jouvence° ait versé quelque part ses eaux miraculeuses? dit le docteur au comte 25 stupéfait de cette transformation. Je le crois, moi, car l'homme n'invente rien, et chacun de ses rêves est une divination ou un souvenir. — Mais abandonnons cette forme un instant repétrie par ma volonté, et consultons cette jeune fille qui dort tranquillement dans ce coin. Interrogez- 30 la, elle en sait plus long que les pythies et les sibylles. Vous pouvez l'envoyer dans un de vos sept châteaux de Bohême, lui demander ce que renferme le plus secret de vos tiroirs, elle vous le dira, car il ne faudra pas à son âme plus d'une seconde pour faire le voyage, chose,[20] après tout, peu 35

---

[19] **avaient pu être.** *Pouvoir* at times means "may." Use the English past of "may," followed by the perfect infinitive of "to be."

[20] **chose.** Used in apposition; supply "a" in English.

surprenante, puisque l'électricité parcourt soixante-dix mille
lieues dans le même espace de temps, et l'électricité est à la
pensée ce qu'est le fiacre au wagon. Donnez-lui la main
pour vous mettre en rapport avec elle; vous n'aurez pas be-
5 soin de formuler votre question, elle la lira dans votre esprit.»

La jeune fille, d'une voix atone comme celle d'une ombre,
répondit à l'interrogation mentale du comte.

«Dans le coffret de cèdre il y a un morceau de terre
saupoudrée de sable fin sur lequel se voit l'empreinte d'un
10 petit pied.»

—A-t-elle deviné juste?» dit le docteur négligemment et
comme sûr de l'infaillibilité de sa somnambule.

Une éclatante rougeur couvrit les joues du comte. Il
avait en effet, au premier temps de leurs amours, enlevé dans
15 une allée d'un parc l'empreinte d'un pas de Prascovie, et il la
gardait comme une relique au fond d'une boîte incrustée de
nacre et d'argent, du plus précieux travail, dont il portait la
clef microscopique suspendue à son cou par un jaseron de
Venise.

20 M. Balthazar Cherbonneau, qui était un homme de bonne
compagnie, voyant l'embarras du comte, n'insista pas et le
conduisit à une table sur laquelle était posée une eau aussi
claire que le diamant.

«Vous avez sans doute entendu parler du miroir magique
25 où Méphistophélès° fait voir à Faust° l'image d'Hélène°;
sans avoir un pied de cheval dans mon bas de soie et deux
plumes de coq à mon chapeau, je puis vous régaler de cet
innocent prodige. Penchez-vous sur cette coupe et pensez
fixement à la personne que vous désirez faire apparaître;
30 vivante ou morte, lointaine ou rapprochée, elle viendra à
votre appel, du bout du monde ou des profondeurs de
l'histoire.»

Le comte s'inclina sur la coupe, dont l'eau se troubla
bientôt sous son regard et prit des teintes opalines, comme
35 si l'on y eût versé [21] une goutte d'essence; un cercle irisé des

---

[21] **eût versé.** This pluperfect subjunctive in an "if" clause is
contrary to fact.

couleurs du prisme couronna les bords du vase, encadrant le
tableau qui s'ébauchait déjà sous le nuage blanchâtre.

Le brouillard se dissipa. — Une jeune femme en peignoir
de dentelles, aux yeux vert de mer, aux cheveux d'or
crespelés, laissant errer comme des papillons blancs ses 5
belles mains distraites sur l'ivoire du clavier, se dessina ainsi
que sous une glace au fond de l'eau redevenue transparente,
avec une perfection si merveilleuse qu'elle eût fait mourir
tous les peintres° de désespoir; — c'était Prascovie Labinska,
qui, sans le savoir, obéissait à l'évocation passionnée du 10
comte.

«Et maintenant passons à quelque chose de plus curieux,»
dit le docteur en prenant la main du comte et en la posant
sur une des tiges de fer du baquet mesmérique. Olaf n'eut
pas plutôt touché le métal chargé d'un magnétisme fulgu- 15
rant, qu'il tomba comme foudroyé.

Le docteur le prit dans ses bras, l'enleva comme une
plume, le posa sur un divan, sonna, et dit au domestique qui
parut au seuil de la porte:

«Allez chercher M. Octave de Saville.» 20

VI

Le roulement d'un coupé se fit entendre dans la cour
silencieuse de l'hôtel, et presque aussitôt Octave se présenta
devant le docteur; il resta stupéfait lorsque M. Cherbonneau
lui montra le comte Olaf Labinski étendu sur un divan avec
les apparences de la mort. Il crut d'abord à un assassinat 25
et resta quelques instants muet d'horreur; mais, après un
examen plus attentif, il s'aperçut qu'une respiration presque
imperceptible abaissait et soulevait la poitrine du jeune
dormeur.

«Voilà, dit le docteur, votre déguisement tout préparé; il 30
est un peu plus difficile à mettre qu'un domino loué chez
Babin°; mais Roméo°, en montant au balcon de Vérone°, ne
s'inquiète pas du danger qu'il y a de se casser le cou; il sait
que Juliette l'attend là-haut dans la chambre sous ses voiles

de nuit; et la comtesse Prascovie Labinska vaut bien la fille des Capulets°.»

Octave, troublé par l'étrangeté de la situation, ne répondait rien; il regardait toujours [22] le comte, dont la tête
5 légèrement rejetée en arrière posait sur un coussin, et qui ressemblait à ces effigies de chevaliers couchés au-dessus de leurs tombeaux dans les cloîtres gothiques, ayant sous leur nuque roidie un oreiller de marbre sculpté. Cette belle et noble figure qu'il allait déposséder de son âme lui inspirait
10 malgré lui quelques remords.

Le docteur prit la rêverie d'Octave pour de l'hésitation: un vague sourire de dédain erra sur le pli de ses lèvres, et il lui dit:

«Si vous n'êtes pas décidé, je puis réveiller le comte,
15 qui s'en retournera comme il est venu, émerveillé de mon pouvoir magnétique; mais, pensez-y bien, une telle occasion peut ne jamais se retrouver. Pourtant, quelque intérêt que je porte à votre amour, quelque désir que j'aie de faire une expérience qui n'a jamais été tentée en Europe, je ne dois
20 pas vous cacher que cet échange d'âmes a ses périls. Frappez votre poitrine, interrogez votre cœur. Risquez-vous franchement votre vie sur cette carte suprême? L'amour est fort comme la mort, dit la Bible.

—Je suis prêt, répondit simplement Octave.

25 —Bien, jeune homme, s'écria le docteur en frottant ses mains brunes et sèches avec une rapidité extraordinaire, comme s'il eût voulu allumer du feu à la manière des sauvages. — Cette passion qui ne recule devant rien me plaît. Il n'y a que deux choses au monde: la passion et la
30 volonté. Si vous n'êtes pas heureux, ce ne sera certes pas de ma faute. Ah! mon vieux Brahma-Logum°, tu vas voir du fond du ciel d'Indra° où les apsaras t'entourent de leurs chœurs voluptueux, si j'ai oublié la formule irrésistible que tu m'as râlée à l'oreille en abandonnant ta carcasse momifiée.
35 Les mots et les gestes, j'ai tout retenu. — A l'œuvre! à

---

[22] **toujours.** Often means ''continually,'' ''to keep on (doing something).''

l'œuvre! Nous allons faire dans notre chaudron une
étrange cuisine, comme les sorcières de Macbeth°, mais sans
l'ignoble sorcellerie du Nord. — Placez-vous devant moi,
assis dans ce fauteuil; abandonnez-vous en toute confiance à
mon pouvoir. Bien! les yeux sur les yeux, les mains contre   5
les mains. — Déjà le charme agit. Les notions de temps et
d'espace se perdent, la conscience du moi s'efface, les
paupières s'abaissent; les muscles, ne recevant plus d'ordres
du cerveau, se détendent; la pensée s'assoupit, tous les fils
délicats qui retiennent l'âme au corps sont dénoués.   10
Brahma°, dans l'œuf d'or où il rêva dix mille ans, n'était
pas plus séparé des choses extérieures; saturons-le d'effluves,
baignons-le de rayons.»

Le docteur, tout en marmottant ces phrases entrecoupées,
ne discontinuait pas un seul instant ses passes: de ses mains   15
tendues jaillissaient des jets lumineux qui allaient frapper le
front ou le cœur du patient, autour duquel se formait peu à
peu une sorte d'atmosphère visible, phosphorescente comme
une auréole.

«Très bien! fit M. Balthazar Cherbonneau, s'applau-   20
dissant lui-même de son ouvrage. Le voilà comme je le
veux. Voyons,[23] voyons, qu'est-ce qui résiste encore par
là?[24] s'écria-t-il après une pause, comme s'il lisait à travers
le crâne d'Octave le dernier effort de la personnalité près de
s'anéantir. Quelle est cette idée mutine qui, chassée des   25
circonvolutions de la cervelle, tâche de se soustraire à mon
influence en se pelotonnant sur la monade primitive, sur le
point central de la vie? Je saurai bien la rattraper et la
mater.»

Pour vaincre cette involontaire rébellion, le docteur   30
rechargea plus puissamment encore la batterie magnétique
de son regard, et atteignit la pensée en révolte entre la base
du cervelet et l'insertion de la moelle épinière, le sanctuaire
le plus caché, le tabernacle le plus mystérieux de l'âme. Son
triomphe était complet.   35

---

[23] **Voyons.** An exclamation, " Come!", " Now then!", " See here!"
[24] **par là,** " in there."

Alors il se prépara avec une solennité majestueuse à
l'expérience inouïe qu'il allait tenter; il se revêtit comme un
mage d'une robe de lin, il lava ses mains dans une eau
parfumée, il tira de diverses boîtes des poudres dont il se fit
5 aux joues et au front des tatouages hiératiques; il ceignit son
bras du cordon des brahmes, lut deux ou trois Slocas des
poèmes sacrés, et n'omit aucun des rites minutieux recom-
mandés par le sannyâsi des grottes d'Elephanta°.

Ces cérémonies terminées, il ouvrit toutes grandes les
10 bouches de chaleur, et bientôt la salle fut remplie d'une
atmosphère embrasée qui eût fait se pâmer les tigres dans
les jungles, se craqueler leur cuirasse de vase sur le cuir
rugueux des buffles, et s'épanouir avec une détonation la
large fleur de l'aloès.

15 «Il ne faut pas que ces deux étincelles du feu divin, qui
vont se trouver nues tout à l'heure et dépouillées pendant
quelques secondes de leur enveloppe mortelle, pâlissent ou
s'éteignent dans notre air glacial,» dit le docteur en regardant le thermomètre, qui marquait alors 120 degrés
20 Fahrenheit.

Le docteur Balthazar Cherbonneau, entre ces deux corps
inertes, avait l'air, dans ses blancs vêtements, du sacrificateur d'une de ces religions sanguinaires qui jetaient des
cadavres d'hommes sur l'autel de leurs dieux.   Il rappelait
25 ce prêtre de Vitziliputzili°, la farouche idole mexicaine dont
parle Henri Heine° dans une de ses ballades, mais ses
intentions étaient à coup sûr plus pacifiques.

Il s'approcha du comte Olaf Labinski toujours immobile,
et prononça l'ineffable syllabe, qu'il alla rapidement répéter
30 sur Octave profondément endormi.   La figure ordinaire-
ment bizarre de M. Cherbonneau avait pris en ce moment
une majesté singulière; la grandeur du pouvoir dont il
disposait ennoblissait ses traits désordonnés, et si quelqu'un
l'eût vu accomplissant ces rites mystérieux avec une gravité
35 sacerdotale, il n'eût pas reconnu en lui le docteur hoffman-
ique° qui appelait, en le défiant, le crayon de la caricature.

Il se passa alors des choses bien étranges: Octave de

Saville et le comte Olaf Labinski parurent agités simultané-
ment comme d'une convulsion d'agonie, leur visage se
décomposa, une légère écume leur monta aux lèvres; la
pâleur de la mort décolora leur peau; cependant deux
petites lueurs bleuâtres et tremblotantes scintillaient in- 5
certaines au-dessus de leurs têtes.

A un geste fulgurant du docteur qui semblait leur tracer
leur route dans l'air, les deux points phosphoriques se mirent
en mouvement, et, laissant derrière eux un sillage de
lumière, se rendirent à leur demeure nouvelle: l'âme 10
d'Octave occupa le corps du comte Labinski, l'âme du comte
celui d'Octave: l'avatar était accompli.

Une légère rougeur des pommettes indiquait que la vie
venait de rentrer dans ces argiles humaines restées sans âme
pendant quelques secondes, et dont l'Ange noir eût fait [25] sa 15
proie sans [26] la puissance du docteur.

La joie du triomphe faisait flamboyer les prunelles bleues
de Cherbonneau, qui se disait en marchant à grands pas
dans la chambre: «Que les médecins les plus vantés en
fassent autant, eux si fiers de raccommoder tant bien que 20
mal l'horloge humaine lorsqu'elle se détraque: Hippocrate°,
Galien°, Paracelse°, Van Helmont°, Boerhaave°, Tronchin°,
Hahnemann°, Rasori°, le moindre fakir indien, accroupi sur
l'escalier d'une pagode, en sait mille fois plus long que vous!
Qu'importe le cadavre quand on commande à l'esprit!» 25

En finissant sa période, le docteur Balthazar Cherbonneau
fit plusieurs cabrioles d'exultation, et dansa comme les
montagnes dans le Sir-Hasirim du roi Salomon°; il faillit
même tomber sur le nez, s'étant pris le pied aux plis de sa
robe brahminique, petit accident qui le rappela à lui-même 30
et lui rendit tout son sang-froid.

«Réveillons nos dormeurs,» dit M. Cherbonneau après
avoir essuyé les raies de poudre colorées dont il s'était strié la
figure et dépouillé son costume de brahme, — et, se plaçant
devant le corps du comte Labinski habité par l'âme d'Octave, 35

---

[25] **eût fait.** See note 10, page 20.
[26] **sans.** Often means " but for."

il fit les passes nécessaires pour le tirer de l'état somnambu-
lique, secouant à chaque geste ses doigts chargés du fluide
qu'il enlevait.

Au bout de quelques minutes, Octave-Labinski (désormais
5 nous le désignerons de la sorte pour la clarté du récit) se
redressa sur son séant, passa ses mains sur ses yeux et
promena autour de lui un regard étonné que la conscience du
moi n'illuminait pas encore.   Quand la perception nette des
objets lui fut revenue, la première chose qu'il aperçut, ce fut
10 sa forme placée en dehors de lui sur un divan.   Il se voyait!
non pas réfléchi par un miroir, mais en réalité.   Il poussa un
cri, — ce cri ne résonna pas avec le timbre de sa voix et lui
causa une sorte d'épouvante; — l'échange d'âmes ayant eu
lieu pendant le sommeil magnétique, il n'en avait pas gardé
15 mémoire et éprouvait un malaise singulier.   Sa pensée,
servie par de nouveaux organes, était comme un ouvrier à
qui l'on a retiré ses outils habituels pour lui en donner
d'autres.   Psyché° dépaysée battait de ses ailes inquiètes la
voûte de ce crâne inconnu, et se perdait dans les méandres de
20 cette cervelle où restaient encore quelques traces d'idées
étrangères.

«Eh bien, dit le docteur lorsqu'il eut suffisamment joui de
la surprise d'Octave-Labinski, que vous semble de votre
nouvelle habitation?   Votre âme se trouve-t-elle bien
25 installée dans le corps de ce charmant cavalier, hetmann,
hospodar ou magnat, mari de la plus belle femme du monde?
Vous n'avez plus envie de vous laisser mourir comme c'était
votre projet la première fois que je vous ai vu dans votre
triste appartement de la rue Saint-Lazare, maintenant que
30 les portes de l'hôtel Labinski vous sont toutes grandes
ouvertes et que vous n'avez plus peur que Prascovie ne vous
mette la main devant la bouche, comme à la villa Salviati°,
lorsque vous voudrez lui parler d'amour!   Vous voyez bien
que le vieux Balthazar Cherbonneau, avec sa figure de
35 macaque, qu'il ne tiendrait qu'à lui de changer pour une
autre, possède encore dans son sac à malices d'assez bonnes
recettes.

—Docteur, répondit Octave-Labinski, vous avez le pouvoir d'un Dieu, ou, tout au moins, d'un démon.

—Oh! oh! n'ayez pas peur, il n'y a pas la moindre diablerie là dedans. Votre salut ne périclite pas: je ne vais pas vous faire signer un pacte avec un parafe rouge. Rien [5] n'est plus simple que ce qui vient de se passer. Le Verbe qui a créé la lumière peut bien déplacer une âme. Si les hommes voulaient écouter Dieu à travers le temps et l'infini, ils en feraient, ma foi, bien d'autres.[27]

—Par quelle reconnaissance, par quel dévouement [10] reconnaître cet inestimable service?

—Vous ne me devez rien; vous m'intéressiez, et pour un vieux Lascar° comme moi, tanné à tous les soleils, bronzé à tous les événements, une émotion est une chose rare. Vous m'avez révélé l'amour, et vous savez que nous autres [15] rêveurs [28] un peu alchimistes, un peu magiciens, un peu philosophes, nous cherchons tous plus ou moins l'absolu. Mais levez-vous donc, remuez-vous, marchez, et voyez si votre peau neuve ne vous gêne pas aux entournures.»

Octave-Labinski obéit au docteur et fit quelques tours par [20] la chambre; il était déjà moins embarrassé; quoique habité par une autre âme, le corps du comte conservait l'impulsion de ses anciennes habitudes, et l'hôte récent [29] se confia à ces souvenirs physiques, car il lui importait de prendre la démarche, l'allure, le geste du propriétaire expulsé. [25]

«Si je n'avais opéré moi-même tout à l'heure le déménagement de vos âmes, je croirais, dit en riant le docteur Balthazar Cherbonneau, qu'il ne s'est rien passé que d'ordinaire pendant cette soirée, et je vous prendrais pour le véritable, légitime et authentique comte lithuanien Olaf [30] de Labinski, dont le moi sommeille encore là-bas dans la chrysalide que vous avez dédaigneusement laissée. Mais

---

[27] bien d'autres. Supply " things"; *en* refers to the wonders accomplished above.

[28] nous autres rêveurs. See note 15, page 22.

[29] l'hôte récent. Can be " recent owner," " recent occupant," " new owner," or " new occupant." Which is it here?

minuit va sonner bientôt; partez pour que Prascovie ne vous
gronde pas et ne vous accuse pas de lui préférer le lansquenet
ou le baccarat.   Il ne faut pas commencer votre vie d'époux
par une querelle, ce serait de mauvais augure.   Pendant ce
5 temps, je m'occuperai de réveiller votre ancienne enveloppe
avec toutes les précautions et les égards qu'elle mérite.»

Reconnaissant la justesse des observations du docteur,
Octave-Labinski se hâta de sortir.   Au bas du perron
piaffaient d'impatience les magnifiques chevaux bais du
10 comte, qui, en mâchant leurs mors, avaient devant eux
couvert le pavé d'écume. — Au bruit de pas du jeune
homme, un superbe chasseur vert, de la race perdue des
heyduques, se précipita vers le marchepied, qu'il abattit
avec fracas.   Octave, qui s'était d'abord dirigé machinale-
15 ment vers son modeste brougham, s'installa dans le haut et
splendide coupé, et dit au chasseur, qui jeta le mot au
cocher: «A l'hôtel!»   La portière à peine fermée, les chevaux
partirent en faisant des courbettes, et le digne successeur
des Almanzor° et des Azolan° se suspendit aux larges
20 cordons de passementerie avec une prestesse que [30] n'aurait
pas laissé supposer sa grande taille.

Pour des chevaux de cette allure la course n'est pas
longue de la rue du Regard au faubourg Saint-Honoré;
l'espace fut dévoré en quelques minutes, et le cocher cria de
25 sa voix de Stentor°: La porte!

Les deux immenses battants, poussés par le suisse,
livrèrent passage à la voiture, qui tourna dans une grande
cour sablée et vint s'arrêter avec une précision remarquable
sous une marquise rayée de blanc et de rose.
30 La cour, qu'Octave-Labinski détailla avec cette rapidité
de vision que l'âme acquiert en certaines occasions solen-
nelles, était vaste, entourée de bâtiments symétriques,
éclairée par des lampadaires de bronze dont le gaz dardait
ses langues blanches dans des fanaux de cristal semblables à
35 ceux qui ornaient autrefois le Bucentaure°, et sentait le

---

[30] **que.**   Object pronoun; **grande taille is the subject**; supply "one"
in English before **supposer.**

palais plus que l'hôtel; des caisses d'orangers dignes de la
terrasse de Versailles étaient posées de distance en distance
sur la marge d'asphalte qui encadrait comme une bordure le
tapis de sable formant le milieu.

Le pauvre amoureux transformé, en mettant le pied sur le   5
seuil, fut obligé de s'arrêter quelques secondes et de poser sa
main sur son cœur pour en comprimer les battements. Il
avait bien le corps du comte Olaf Labinski, mais il n'en
possédait que l'apparence physique; toutes les notions que
contenait cette cervelle s'étaient enfuies avec l'âme du 10
premier proprietaire, — la maison qui désormais devait [31]
être la sienne lui était inconnue, il en ignorait les dispositions
intérieures; — un escalier se présentait devant lui, il le suivit
à tout hasard, sauf à mettre son erreur sur le compte d'une
distraction.[32]
                                          15

Les marches de pierre poncée éclataient de blancheur et
faisaient ressortir le rouge opulent de la large bande de
moquette retenue par des baguettes de cuivre doré qui
dessinait au pied son moelleux chemin; des jardinières
remplies des plus belles fleurs exotiques montaient chaque 20
degré avec vous.[33]

Une immense lanterne découpée et fenestrée, suspendue à
un gros câble de soie pourpre orné de houppes et de nœuds,
faisait courir des frissons d'or sur les murs revêtus d'un stuc
blanc et poli comme le marbre, et projetait une masse de 25
lumière sur une répétition de la main de l'auteur, d'un des
plus célèbres groupes de Canova°, *l'Amour embrassant
Psyché.*

Le palier de l'étage unique était pavé de mosaïques d'un
précieux travail, et aux parois, des cordes de soie suspen- 30
daient quatre tableaux de Paris Bordone°, de Bonifazzio°, de
Palma le Vieux° et de Paul Véronèse°, dont le style archi-
tectural et pompeux s'harmonisait avec la magnificence de
l'escalier.

---

[31] devait, "was to."
[32] sauf . . . distraction, "ready to excuse his error with the plea of
absent-mindedness."
[33] avec vous. Who is Vous?

Sur ce palier s'ouvrait une haute porte de serge relevée de clous dorés; Octave-Labinski la poussa et se trouva dans une vaste antichambre où sommeillaient quelques laquais en grande tenue, qui, à son approche, se levèrent comme poussés
5 par des ressorts et se rangèrent le long des murs avec l'impassibilité d'esclaves orientaux.

Il continua sa route. Un salon blanc et or, où il n'y avait personne, suivait l'antichambre. Octave tira une sonnette. Une femme de chambre parut.

10 «Madame [34] peut-elle me recevoir?

—Madame la comtesse est en train de se déshabiller, mais tout à l'heure elle sera visible.»

Résumé of Chapters VII–XI

Olaf-de Saville (the entity of Olaf in the de Saville body) awakes in a desperate situation. His own servants throw him out of his own house. Octave's papers reveal the fruitless passion for Prascovie and betray the swindle and its motive. Dr. Cherbonneau laughs at Olaf's threats and subdues his violence with mesmeric force.

In the meantime Octave-Labinski, in Prascovie's boudoir, is so overcome by the intimate sight of her matchless beauty that he cannot conceal a fiery look of passion in his eye. Startled by this look, so foreign to her husband's nature, and warned by some intuition, Prascovie locks herself in her room.

Next morning at breakfast Prascovie greets her husband in his maternal tongue, *Polish!!* The mind of Octave has never thought of learning that tongue; the vocal organs of Olaf cannot respond without impulses from the brain. Octave's flimsy excuses only serve to heighten her suspicions. That afternoon the person of Octave de Saville calls on its former friend Prascovie. The sight of a usurper at the side of his wife drives the soul of Olaf to shout "Robber! thief! scoundrel! Give me back my body!" Servants carry his fighting body away.

---

[34] **Madame.** The third person of respectful address used by servants, or by persons referring to husband or wife, is not commonly used in English. Instead we say "Mrs. So-and-so" or the appropriate title with the last name, "Countess Labinska."

Olaf, driven to desperation, challenges Octave. He is de-
termined to kill his own body or die in his disgust at occupying
that of another. Octave, really a man of honor, accepts,
although he could have placed his rival in an asylum for life.
The duellists are at first disconcerted at the prospect of piercing
their own bodies, but the thought of Prascovie drives Olaf to
take desperate chances. The puny wrist of the de Saville body,
even with the technique of the Olaf mind, is no match for the
trained Labinski wrist. Olaf-de Saville is disarmed. To Olaf's
surprise Octave-Labinski leads him aside, confesses his inability
to win Prascovie's love, even in the person of her husband, and
proposes that they pretend to be reconciled, return to the
doctor's house and have him perform another avatar, restoring
each soul to its own body.

XII

Pendant le trajet du bois de Boulogne° à la rue du
Regard, Octave de Saville dit au docteur Cherbonneau:
«Mon cher docteur, je vais mettre encore une fois votre
science à l'épreuve: il faut réintégrer nos âmes chacune dans
son domicile habituel. — Cela ne doit pas vous être difficile; 5
j'espère que M. le comte Labinski ne vous en voudra pas
pour lui avoir fait changer un palais contre une chaumière et
loger quelques heures sa personnalité brillante dans mon
pauvre individu. Vous possédez d'ailleurs une puissance à
ne craindre aucune vengeance.»   10
Après avoir fait un signe d'acquiescement, le docteur
Balthazar Cherbonneau dit: «L'opération sera beaucoup
plus simple cette fois-ci que l'autre; les imperceptibles
filaments qui retiennent l'âme au corps ont été brisés
récemment chez vous et n'ont pas eu le temps de se renouer, 15
et vos volontés ne feront pas cet obstacle qu'oppose au
magnétiseur la résistance instinctive du magnétisé. M. le
comte pardonnera sans doute à un vieux savant comme moi
de n'avoir pu résister au plaisir de pratiquer une expérience
pour laquelle on ne trouve pas beaucoup de sujets, puisque 20
cette tentative n'a servi d'ailleurs qu'à confirmer avec éclat
une vertu qui pousse la délicatesse jusqu'à la divination, et

triomphe là où toute autre eût succombé.   Vous regarderez,
si vous voulez, comme un rêve bizarre cette transformation
passagère, et peut-être plus tard ne serez-vous pas fâché
d'avoir éprouvé cette sensation étrange que très peu
5 d'hommes ont connue, celle d'avoir habité deux corps. —
La métempsychose n'est pas une doctrine nouvelle; mais,
avant de transmigrer dans une autre existence, les âmes
boivent la coupe d'oubli, et tout le monde ne peut pas,
comme Pythagore°, se souvenir d'avoir assisté à la guerre de
10 Troie°.

—Le bienfait de me réinstaller dans mon individualité,
répondit poliment le comte, équivaut au désagrément d'en
avoir été exproprié, cela soit dit sans aucune mauvaise
intention pour M. Octave de Saville que je suis encore et que
15 je vais cesser d'être.»

Octave sourit avec les lèvres du comte Labinski à cette
phrase, qui n'arrivait à son adresse qu'à travers une
enveloppe étrangère, et le silence s'établit entre ces trois
personnages, à qui leur situation anormale rendait toute
20 conversation difficile.

Le pauvre Octave songeait à son espoir évanoui, et ses
pensées n'étaient pas, il faut l'avouer, précisément couleur
de rose.   Comme tous les amants rebutés, il se demandait
encore pourquoi il n'était pas aimé — comme si l'amour
25 avait un pourquoi! la seule raison qu'on en puisse donner est
le *parce que*, réponse logique dans son laconisme entêté, que
les femmes opposent à toutes les questions embarrassantes.
Cependant il se reconnaissait vaincu et sentait que le
ressort de la vie, retendu chez lui un instant par le docteur
30 Cherbonneau, était de nouveau brisé et bruissait dans son
cœur comme celui d'une montre qu'on a laissée tomber à
terre.   Octave n'aurait pas voulu causer à sa mère le
chagrin de son suicide, et il cherchait un endroit où s'éteindre
silencieusement de son chagrin inconnu sous le nom scien-
35 tifique d'une maladie plausible.   S'il eût été peintre°, poète
ou musicien, il aurait cristallisé sa douleur en chefs-d'œuvre,
et Prascovie vêtue de blanc, couronnée d'étoiles, pareille à

la Béatrice de Dante°, aurait plané sur son inspiration
comme un ange lumineux; mais, nous l'avons dit en commen-
çant cette histoire, bien qu'instruit et distingué, Octave
n'était pas un de ces esprits d'élite qui impriment sur ce
monde la trace de leur passage. Ame obscurément sublime, 5
il ne savait qu'aimer et mourir.

La voiture entra dans la cour du vieil hôtel de la rue du
Regard, cour au pavé serti d'herbe verte où les pas des
visiteurs avaient frayé un chemin et que les hautes murailles
grises des constructions inondaient d'ombres froides comme 10
celles qui tombent des arcades d'un cloître: le Silence et
l'Immobilité veillaient sur le seuil comme deux statues
invisibles pour protéger la méditation du savant.

Octave et le comte descendirent, et le docteur franchit le
marchepied d'un pas plus leste qu'on n'aurait pu l'attendre 15
de son âge et sans s'appuyer au bras que le valet de pied lui
présentait avec cette politesse que les laquais de grande
maison affectent pour les personnes faibles ou âgées.

Dès que les doubles portes se furent refermées sur eux,
Olaf et Octave se sentirent enveloppés par cette chaude 20
atmosphère qui rappelait au docteur celle de l'Inde et où
seulement il pouvait respirer à l'aise, mais qui suffoquait
presque les gens qui n'avaient pas été comme lui torréfiés
trente ans aux soleils tropicaux. Les incarnations de
Wishnou° grimaçaient toujours dans leurs cadres, plus 25
bizarres au jour qu'à la lumière; Shiva, le dieu bleu, ricanait
sur son socle, et Dourga°, mordant sa lèvre calleuse de ses
dents de sanglier, semblait agiter son chapelet de crânes.
Le logis gardait son impression mystérieuse et magique.

Le docteur Balthazar Cherbonneau conduisit ses deux 30
sujets dans la pièce où s'était opérée la première transformation; il fit tourner le disque de verre de la machine
électrique, agita les tiges de fer du baquet mesmérien, ouvrit
les bouches de chaleur de façon à faire monter rapidement la
température, lut deux ou trois lignes sur des papyrus si 35
anciens qu'ils ressemblaient à de vieilles écorces prêtes à
tomber en poussière, et, lorsque quelques minutes furent
écoulées, il dit à Octave et au comte:

«Messieurs, je suis à vous; voulez-vous que nous commencions?»

Pendant que le docteur se livrait à ces préparatifs, des réflexions inquiétantes passaient par la tête du comte.

5 «Lorsque je serai endormi, que va faire de mon âme ce vieux magicien à figure de macaque qui pourrait bien être le diable en personne? — La restituera-t-il à mon corps ou l'emportera-t-il en enfer avec lui? Cet échange qui doit me rendre mon bien n'est-il qu'un nouveau piège, une combi-
10 naison machiavélique pour quelque sorcellerie dont le but m'échappe? Pourtant, ma position ne saurait [35] guère empirer. Octave possède mon corps, et, comme il le disait très bien ce matin, en le réclamant sous ma figure actuelle je me ferais enfermer comme fou. S'il avait voulu se débar-
15 rasser définitivement de moi, il n'avait qu'à pousser la pointe de son épée; j'étais désarmé, à sa merci; la justice des hommes n'avait rien à y voir; les formes du duel étaient parfaitement régulières et tout s'était passé selon l'usage. — Allons! [36] pensons à Prascovie, et pas de terreur enfantine!
20 Essayons du seul moyen qui me reste de la reconquérir!»

Et il prit comme Octave la tige de fer que le docteur Balthazar Cherbonneau lui présentait.

Fulgurés par les conducteurs de métal chargés à outrance de fluide magnétique°, les deux jeunes gens tombèrent
25 bientôt dans un anéantissement si profond qu'il eût ressemblé à la mort pour toute personne non prévenue: le docteur fit les passes, accomplit les rites, prononça les syllabes comme la première fois, et bientôt deux petites étincelles apparurent au-dessus d'Octave et du comte avec
30 un tremblement lumineux; le docteur reconduisit à sa demeure primitive l'âme du comte Olaf Labinski, qui suivit d'un vol empressé le geste du magnétiseur.

Pendant ce temps, l'âme d'Octave s'éloignait lentement du corps d'Olaf, et, au lieu de rejoindre le sien, s'élevait,

---

[35] saurait. In the future or conditional this verb has the meaning of *pouvoir*.
[36] Allons. Exclamation, "Come!"

s'élevait comme toute joyeuse d'être libre, et ne paraissait
pas se soucier de rentrer dans sa prison. Le docteur se
sentit pris de pitié pour cette Psyché qui palpitait des ailes,
et se demanda si c'était un bienfait de la ramener vers cette
vallée de misère. Pendant cette minute d'hésitation, l'âme   5
montait toujours.[37] Se rappelant son rôle, M. Cherbonneau
répéta de l'accent le plus impérieux l'irrésistible mono-
syllabe et fit une passe fulgurante de volonté; la petite lueur
tremblotante était déjà hors du cercle d'attraction, et,
traversant la vitre supérieure de la croisée, elle disparut.   10

Le docteur cessa des efforts qu'il savait superflus et
réveilla le comte, qui, en se voyant dans un miroir avec ses
traits habituels, poussa un cri de joie, jeta un coup d'œil sur
le corps toujours immobile d'Octave comme pour se prouver
qu'il était bien définitivement débarrassé de cette enveloppe, 15
et s'élança dehors, après avoir salué de la main M. Balthazar
Cherbonneau.

Quelques instants après, le roulement sourd d'une voiture
sous la voûte se fit entendre, et le docteur Balthazar
Cherbonneau resta seul face à face avec le cadavre d'Octave 20
de Saville.

«Par la trompe de Ganésa°! s'écria l'élève du brahme
d'Elephanta lorsque le comte fut parti, voilà une fâcheuse
affaire; j'ai ouvert la porte de la cage, l'oiseau s'est envolé,
et le voilà déjà hors de la sphère de ce monde, si loin que le 25
sannyâsi Brahma-Logum lui-même ne le rattraperait [38] pas;
je reste avec un corps sur les bras.[39] Je puis bien le dissoudre dans un bain corrosif si énergique qu'il n'en resterait
pas un atome appréciable, ou en faire en quelques heures une
momie de Pharaon pareille à celles qu'enferment ces boîtes 30
bariolées d'hiéroglyphes; mais on commencerait des en-
quêtes, on fouillerait mon logis, on ouvrirait mes caisses,

---

[37] toujours. See note 22, page 26.

[38] rattraperait. The conditional tense has the force of the auxiliary
pouvoir.

[39] sur les bras. In English we express this thought as if it were *sur
mes mains*.

on me ferait subir toutes sortes d'interrogatoires ennuy-
eux...»

Ici, une idée lumineuse traversa l'esprit du docteur; il
saisit une plume et traça rapidement quelques lignes sur une
5 feuille de papier qu'il serra dans le tiroir de sa table.

Le papier contenait ces mots:

«N'ayant ni parents, ni collatéraux, je lègue tous mes
biens à M. Octave de Saville, pour qui j'ai une affection
particulière, — à la charge de payer un legs de cent mille
10 francs à l'hôpital brahminique de Ceylan, pour les animaux
vieux, fatigués ou malades, de servir douze cents francs de
rente viagère à mon domestique indien et à mon domestique
anglais, et de remettre à la bibliothèque Mazarine° le
manuscrit des lois de Manou°.»

15 Ce testament fait à un mort par un vivant n'est pas une
des choses les moins bizarres de ce conte invraisemblable et
pourtant réel°; mais cette singularité va s'expliquer sur-le-
champ.

Le docteur toucha le corps d'Octave de Saville, que la
20 chaleur de la vie n'avait pas encore abandonné, regarda dans
la glace son visage ridé, tanné et rugueux comme une peau
de chagrin°, d'un air singulièrement dédaigneux, et faisant
sur lui le geste avec lequel on jette un vieil habit lorsque le
tailleur vous en apporte un neuf, il murmura la formule du
25 sannyâsi Brahma-Logum.

Aussitôt le corps du docteur Balthazar Cherbonneau roula
comme foudroyé sur le tapis, et celui d'Octave de Saville se
redressa fort, alerte et vivace°.

Octave-Cherbonneau se tint debout quelques minutes
30 devant cette dépouille maigre, osseuse et livide qui, n'étant
plus soutenue par l'âme puissante qui la vivifiait tout à
l'heure, offrit presque aussitôt les signes de la plus extrême
sénilité, et prit rapidement une apparence cadavéreuse.

«Adieu, pauvre lambeau humain, misérable guenille
35 percée au coude, élimée sur toutes les coutures, que j'ai
traînée soixante-dix ans dans les cinq parties du monde! tu
m'as fait un assez bon service, et je ne te quitte pas sans

quelque regret. On s'habitue l'un et l'autre à vivre si
longtemps ensemble! mais avec cette jeune enveloppe, que
ma science aura bientôt rendue robuste, je pourrai étudier,
travailler, lire encore quelques mots du grand livre°, sans
que la mort le ferme au paragraphe le plus intéressant en 5
disant: «C'est assez!»

Cette oraison funèbre adressée à lui-même, Octave-
Cherbonneau sortit d'un pas tranquille pour aller prendre
possession de sa nouvelle existence.

Le comte Olaf Labinski était retourné à son hôtel et avait 10
fait demander tout de suite si la comtesse pouvait le
recevoir.

Il la trouva assise sur un banc de mousse, dans la serre,
dont les panneaux de cristal relevés à demi laissaient passer
un air tiède et lumineux, au milieu d'une véritable forêt 15
vierge de plantes exotiques et tropicales; elle lisait Novalis°,
un des auteurs les plus subtils, les plus raréfiés, les plus
immatériels qu'ait produits le spiritualisme allemand; la
comtesse n'aimait pas les livres qui peignent la vie avec des
couleurs réelles et fortes, — et la vie lui paraissait un peu 20
grossière à force d'avoir vécu dans un monde d'élégance,
d'amour et de poésie.

Elle jeta son livre et leva lentement les yeux vers le
comte. Elle craignait de rencontrer encore dans les
prunelles noires de son mari ce regard° ardent, orageux, 25
chargé de pensées mystérieuses, qui l'avait si péniblement
troublée et qui lui semblait — appréhension folle, idée
extravagante, — le regard d'un autre!

Dans les yeux d'Olaf éclatait une joie sereine, brûlait d'un
feu égal un amour chaste et pur; l'âme étrangère qui avait 30
changé l'expression de ses traits s'était envolée pour
toujours: Prascovie reconnut aussitôt son Olaf adoré, et une
rapide rougeur de plaisir nuança ses joues transparentes. —
Quoiqu'elle ignorât les transformations opérées par le
docteur Cherbonneau, sa délicatesse de sensitive avait pres- 35
senti tous ces changements sans pourtant qu'elle s'en rendît
compte.

«Que lisiez-vous là, chère Prascovie? dit Olaf en ramassant sur la mousse le livre relié de maroquin bleu. — Ah! l'histoire de Henri d'Ofterdingen°, — c'est le même volume que je suis allé vous chercher à franc étrier à Mohilev°, — un 5 jour que vous aviez manifesté à table le désir de l'avoir. A minuit il était sur votre guéridon, à côté de votre lampe; mais aussi Ralph [40] en est resté poussif!

—Et je vous ai dit que jamais plus je ne manifesterais la moindre fantaisie devant vous. Vous êtes du caractère de 10 ce grand d'Espagne qui priait sa maîtresse de ne pas regarder les étoiles, puisqu'il ne pouvait les lui donner.

—Si tu en regardais une, répondit le comte, j'essayerais de monter au ciel et de l'aller demander à Dieu.»

Tout en écoutant son mari, la comtesse repoussait une 15 mèche révoltée de ses bandeaux qui scintillait comme une flamme dans un rayon d'or. Ce mouvement avait fait glisser sa manche et mis à nu son beau bras que cerclait au poignet le lézard constellé de turquoises qu'elle portait le jour de cette apparition aux Cascines°, si fatale pour 20 Octave.

«Quelle peur, dit le comte, vous a causée jadis ce pauvre petit lézard que j'ai tué d'un coup de badine lorsque, pour la première fois, vous êtes descendue au jardin sur mes instantes prières! Je le fis mouler en or et orner de quelques 25 pierres; mais, même à l'état de bijou, il vous semblait toujours effrayant, et ce n'est qu'au bout d'un certain temps que vous vous décidâtes [41] à le porter.

—Oh! j'y suis habituée tout à fait maintenant, et c'est de mes joyaux celui que je préfère, car il me rappelle un bien 30 cher souvenir.

—Oui, reprit le comte; ce jour-là, nous convînmes que, le lendemain, je vous ferais demander officiellement en mariage à votre tante.»

---

[40] **Ralph.** Knowing the meaning of **à franc étrier** and **poussif**, to what does the name **Ralph** apply?

[41] **décidâtes.** The past definite tense is not the past tense used in conversation. Olaf is here relating an anecdote and therefore uses the "narrative" past.

La comtesse, qui retrouvait le regard, l'accent du vrai
Olaf, se leva, rassurée d'ailleurs par ces détails intimes, lui
sourit, lui prit le bras et fit avec lui quelques tours dans la
serre, arrachant au passage, de sa main restée libre, quelques
fleurs dont elle mordait les pétales de ses lèvres fraîches, 5
comme cette Vénus de Schiavone° qui mange des roses.

«Puisque vous avez si bonne mémoire aujourd'hui, dit-elle
en jetant la fleur qu'elle coupait de ses dents de perle, vous
devez avoir retrouvé l'usage de votre langue maternelle...
que vous ne saviez plus hier. 10

—Oh! répondit le comte en polonais, c'est celle que mon
âme parlera dans le ciel pour te dire que je t'aime, si les
âmes gardent au paradis un langage humain.»

Prascovie, tout en marchant, inclina doucement sa tête
sur l'épaule d'Olaf. 15

«Cher cœur, murmura-t-elle, vous voilà tel que je vous
aime. Hier vous me faisiez peur, et je vous ai fui comme un
étranger.»

Le lendemain, Octave de Saville, animé par l'esprit
du vieux docteur, reçut une lettre lisérée de noir, qui le 20
priait d'assister aux service, convoi et enterrement de M.
Balthazar Cherbonneau.

Le docteur, revêtu de sa nouvelle apparence, suivit son
ancienne dépouille au cimetière, se vit enterrer, écouta d'un
air de componction fort bien joué les discours que l'on 25
prononça sur sa fosse, et dans lesquels on déplorait la perte
irréparable que venait de faire la science; puis il retourna
rue Saint-Lazare, et attendit l'ouverture du testament qu'il
avait écrit en sa faveur.

Ce jour-là on lut aux *faits divers*° dans les journaux du 30
soir:

«M. le docteur Balthazar Cherbonneau, connu par le long
séjour qu'il a fait aux Indes, ses connaissances philologiques
et ses cures merveilleuses, a été trouvé mort, hier, dans son
cabinet de travail. L'examen minutieux du corps éloigne 35
entièrement l'idée d'un crime. M. Cherbonneau a sans
doute succombé à des fatigues intellectuelles excessives ou

péri dans quelque expérience audacieuse. On dit qu'un testament olographe découvert dans le bureau du docteur lègue à la bibliothèque Mazarine des manuscrits extrêmement précieux, et nomme pour son héritier un jeune
5 homme appartenant à une famille distinguée, M. O. de S.»

L'OEIL INVISIBLE

By Permission of Librairie Hachette.

L'OEIL INVISIBLE

OU L'AUBERGE DES TROIS PENDUS

CHAPITRE I

Vers ce temps-là, dit Christian, pauvre comme un rat d'église,[1] je m'étais réfugié dans les combles d'une vieille maison de la rue des *Minnesœnger*°, à Nuremberg°.

Je nichais à l'angle du toit. Les ardoises me servaient de murailles et la maîtresse poutre de plafond; il fallait marcher sur une paillasse pour arriver à la fenêtre, mais cette fenêtre percée dans le pignon, avait une vue magnifique, de là, je découvrais la ville, la campagne. Je voyais les chats se promener gravement dans la gouttière, les cigognes, le bec chargé de grenouilles, apporter la pâture à leur couvée dévorante, les pigeons s'élancer de leurs colombiers, la queue en éventail, et tourbillonner sur l'abîme des rues. Le soir, quand les cloches appelaient le monde à l'*Angélus*, les coudes au bord du toit, j'écoutais leur chant mélancolique, je regardais les fenêtres s'illuminer une à une, les bons bourgeois fumer leur pipe sur les trottoirs, et les jeunes filles, en petite jupe rouge, la cruche sous le bras, rire et causer autour de la fontaine Saint-Sébalt. Insensiblement tout s'effaçait, les chauves-souris se mettaient en route, et j'allais me coucher dans une douce quiétude.

Le vieux brocanteur Toubac connaissait le chemin de ma logette aussi bien que moi, et ne craignait pas d'en grimper l'échelle. Toutes les semaines, sa tête de bouc, surmontée d'une tignasse roussâtre, soulevait la trappe, et, les doigts cramponnés au bord de la soupente, il me criait d'un ton nasillard:

---

[1] rat d'église, " church mouse."

47

«Eh bien! eh bien! maître Christian, avons-nous du neuf? [2]»

A quoi je répondais:

«Entrez donc, que diable,[3] entrez.... je viens de finir un
5 petit paysage dont vous me donnerez des nouvelles.»

Alors sa grande échine maigre s'allongeait... s'allongeait
jusque sous le toit... et le brave [4] homme riait en silence.

Il faut rendre justice à Toubac; il ne marchandait pas
avec moi.   Il m'achetait [5] toutes mes toiles à quinze florins
10 l'une dans l'autre,[6] et les revendait quarante.   C'était un
honnête juif.

Ce genre d'existence commençait à me plaire et j'y
trouvais chaque jour de nouveaux charmes, quand la bonne
ville de Nuremberg fut troublée par un événement étrange
15 et mystérieux.   Non loin de ma lucarne, un peu à gauche,
s'élevait l'auberge du *Bœuf-Gras*, une vieille auberge fort
achalandée dans le pays.   Devant sa porte stationnaient
toujours trois ou quatre voitures chargées de sacs ou de
futailles, car avant de se rendre au marché, les campagnards
20 y prenaient d'habitude leur chopine de vin.

Le pignon de l'auberge se distinguait par sa forme
particulière: il était fort étroit, pointu, taillé des deux
côtés en dents de scie; des sculptures grotesques, des guivres
entrelacées ornaient les corniches et le pourtour de ses
25 fenêtres.   Mais ce qu'il y avait de plus remarquable, c'est
que la maison qui lui faisait face reproduisait exactement les
mêmes sculptures, les mêmes ornements; il n'y avait pas
jusqu'à la tige de l'enseigne qui ne fût copiée, avec ses
volutes et ses spirales de fer.

30 On aurait dit que ces deux antiques masures se reflétaient
l'une l'autre.   Seulement, derrière l'auberge, s'élevait un
grand chêne, dont le feuillage sombre détachait avec

---

[2] du neuf.   " New " what?
[3] que diable.   A mild expletive in French with no force of an oath.
[4] brave.   When preceding a noun, it means " good, worthy."
[5] m'.   A dative not essential to the English meaning; say " of me."
[6] l'une dans l'autre, " on an average."

vigueur les arêtes du toit, tandis que la maison voisine se
découpait sur le ciel.   Du reste, autant l'auberge du *Bœuf-
Gras* était bruyante, animée, autant l'autre maison était
silencieuse.   D'un côté, l'on voyait sans cesse entrer et
sortir une foule de buveurs, chantant, trébuchant, faisant 5
claquer leur fouet.   De l'autre, régnait la solitude.   Tout
au plus, une ou deux fois par jour, sa lourde porte s'entr'ouvrait-elle,[7] pour laisser sortir une petite vieille, les [8] reins en
demi-cercle, le menton en galoche, la robe collée sur les
hanches, un énorme panier sous le bras, et le poing crispé 10
contre la poitrine.

La physionomie de cette vieille m'avait frappé plus d'une
fois; ses petits yeux verts, son nez mince, effilé, les grands
ramages de son châle, qui datait de cent ans pour le moins, le
sourire qui ridait ses joues en cocarde, et les dentelles de son 15
bonnet, qui lui pendaient sur les sourcils, tout cela m'avait
paru bizarre, je m'y étais intéressé; j'aurais voulu savoir ce
qu'était, ce que faisait cette vieille dans une si grande
maison déserte.

Il me semblait deviner là toute une existence de bonnes 20
œuvres et de méditations pieuses.   Mais un jour que je
m'étais arrêté dans la rue, pour la suivre du regard, elle se
retourna brusquement, me lança un coup d'œil dont je ne
saurais [9] peindre l'horrible expression, et me fit trois ou
quatre grimaces hideuses; puis, laissant retomber sa tête 25
branlante, elle attira son grand châle, dont la pointe
traînait à terre, et gagna lestement sa lourde porte, derrière
laquelle je la vis disparaître.

«C'est une vieille folle, me dis-je tout stupéfait, une vieille
folle méchante et rusée.   Ma foi! j'avais bien tort de 30
m'intéresser à elle.   Je voudrais revoir sa grimace, Toubac
m'en donnerait volontiers quinze florins.»

Cependant ces plaisanteries ne me rassuraient pas trop.
L'horrible coup d'œil de la vieille me poursuivait partout,

---

[7] s'entr'ouvrait-elle. Why this word order? See note 1, page 18.

[8] les. Why the definite article here and in the phrases following?

[9] saurais. What meaning may *savoir* take in the conditional tense?
See note 35, page 38.

et plus d'une fois, en train de grimper à l'échelle perpendiculaire de mon taudis, me sentant accroché quelque part, je frissonnais des pieds à la tête, m'imaginant que la vieille venait se pendre aux basques de mon habit pour me faire
5 tomber.

Toubac, à qui je racontai cette histoire, bien loin d'en rire, prit un air grave:

«Maître Christian, me dit-il, si la vieille vous en veut, prenez garde! ses dents sont petites, pointues et d'une
10 blancheur merveilleuse; cela n'est point naturel à son âge. Elle a le *mauvais œil°*. Les enfants se sauvent à son approche, et les gens de Nuremberg l'appellent *Flédermausse°*.»

J'admirai l'esprit perspicace du juif, et ses paroles me
15 donnèrent beaucoup à réfléchir; mais, au bout de quelques semaines, ayant souvent rencontré Flédermausse sans fâcheuses conséquences, mes craintes se dissipèrent et je ne songeai plus à elle.

Or, il advint qu'un soir, dormant du meilleur somme, je
20 fus éveillé par une harmonie étrange. C'était une espèce de vibration si douce, si mélodieuse, que le murmure de la brise dans le feuillage ne peut en donner qu'une faible idée. Longtemps je prêtai l'oreille, les yeux tout grands ouverts, retenant mon haleine pour mieux entendre. Enfin, je
25 regardai vers la fenêtre et vis deux ailes qui se débattaient contre les vitres. Je crus d'abord que c'était une chauve-souris prise dans ma chambre; mais la lune étant venue à [10] paraître, les ailes d'un magnifique papillon de nuit, transparentes comme de la dentelle, se dessinèrent sur son
30 disque étincelant. Leurs vibrations étaient parfois si rapides qu'on ne les voyait plus; puis elle se reposaient, étendues sur le verre, et leurs frêles nervures se distinguaient de nouveau.

Cette apparition vaporeuse dans le silence universel ouvrit
35 mon cœur aux plus douces émotions; il me sembla qu'une

---

[10] **venue à.** Distinguish between the idioms *venir de* and *venir à*; see vocabulary.

sylphide légère, touchée de ma solitude, venait me voir... et cette idée m'attendrit jusqu'aux larmes. «Sois tranquille, douce captive, sois tranquille, lui dis-je, ta confiance ne sera pas trompée; je ne te retiendrai pas malgré toi... retourne au ciel, à la liberté!»

Et j'ouvris ma petite fenêtre.

La nuit était calme. Des milliers d'étoiles scintillaient dans l'étendue. Un instant je contemplai ce spectacle sublime, et les paroles de la prière me vinrent naturellement aux lèvres. Mais jugez de ma stupeur, quand, abaissant les yeux, je vis un homme pendu à la tringle de l'enseigne du *Bœuf-Gras*, les cheveux épars, les bras roides, les jambes allongées en pointe, et projetant leur ombre gigantesque jusqu'au fond de la rue.

L'immobilité de cette figure sous les rayons de la lune avait quelque chose d'affreux. Je sentis ma langue se glacer, mes dents s'entre-choquer. J'allais jeter un cri; mais, je ne sais par quelle attraction mystérieuse, mes yeux plongèrent plus bas, et je distinguai confusément la vieille accroupie à sa fenêtre, au milieu des grandes ombres et contemplant le pendu d'un air de satisfaction diabolique.

Alors j'eus le vertige de la terreur; toutes mes forces m'abandonnèrent, et, reculant jusqu'à la muraille, je m'affaissai sur moi-même, évanoui.

Je ne saurais dire combien dura ce sommeil de mort. En revenant à moi, je vis qu'il faisait grand jour. Les brouillards de la nuit, pénétrant dans ma guérite, avaient déposé sur mes cheveux leur fraîche rosée, des rumeurs confuses montaient de la rue, je regardai. Le bourgmestre et son secrétaire stationnaient à la porte de l'auberge; ils y restèrent longtemps. Les gens allaient, venaient, s'arrêtaient pour voir, puis reprenaient leur route. Les bonnes femmes du voisinage, qui balayaient le devant de leurs maisons, regardaient de loin et causaient entre elles. Enfin un brancard, et sur ce brancard un corps recouvert d'un drap de laine, sortit de l'auberge, porté par deux hommes. Ils descendirent la rue, et les enfants qui se rendaient à l'école se mirent à courir derrière eux.

Tout le monde se retira.   La fenêtre en face était encore
ouverte.   Un bout de [11] corde flottait à la tringle; je n'avais
pas rêvé; j'avais bien vu le grand papillon de nuit... puis le
pendu... puis la vieille!

5   Ce jour-là, Toubac me fit sa visite; son grand nez parut à
ras du plancher.

«Maître Christian, s'écria-t-il, rien à vendre?»

Je ne l'entendis pas, j'étais assis sur mon unique chaise,
les deux mains sur les genoux, les yeux fixés devant moi.

10 Toubac, surpris de mon immobilité, répéta plus haut:

«Maître Christian! maître Christian!»

Puis, enjambant [12] la soupente, il vint sans façon me
frapper sur l'épaule.

«Eh bien! eh bien! que se passe-t-il donc?

15   —Ah! c'est vous Toubac?

—Eh! parbleu! [13] j'aime à le croire.[14]   Êtes-vous malade?

—Non... je pense.

—A quoi diable pensez-vous?

—Au pendu!

20   —Ah! ah! s'écria le brocanteur, vous l'avez donc vu, ce
pauvre garçon.   Quelle histoire singulière! le troisième à la
même place!

—Comment! le troisième?

—Eh! oui.   J'aurais dû vous prévenir.   Après ça, il est
25 encore temps; il y en aura bien un quatrième qui voudra
suivre l'exemple des autres... il n'y a que le premier pas qui
coûte.»

Ce disant, Toubac prit place au bord de mon bahut, battit
le briquet, alluma sa pipe, et lança quelques bouffées d'un
30 air rêveur.

---

[11] **un bout de,** " a small piece of."

[12] **enjambant,** " climbing into."

[13] **parbleu.** French epithets should not be rendered literally in
English; use some mild appropriate expression. Here *bleu* refers
literally to " the heavens."

[14] **j'aime à le croire.** Use some familiar expression like " I should
hope so."

«Ma foi, dit-il, je ne suis pas craintif, mais si l'on m'offrait de passer la nuit dans cette chambre, j'aimerais autant aller me pendre ailleurs.

«Figurez-vous, maître Christian, qu'il y a neuf ou dix mois, un brave homme de Tubingue°, marchand de fourrures 5 en gros, descend à l'auberge du *Bœuf-Gras*. Il demande à [15] souper, il mange bien, il boit bien, on le mène coucher dans la chambre du troisième,[16] — la chambre verte, comme ils l'appellent, — et le lendemain on le trouve pendu à la tringle de l'enseigne! 10

«Bon! passe pour une fois;[17] il n'y avait rien à dire.

«On dresse procès-verbal et l'on enterre cet étranger au fond du jardin. Mais voilà[18] qu'environ six semaines après, arrive un brave militaire de Newstadt°. Il avait son congé définitif et se réjouissait de revoir son village. Pen- 15 dant toute la soirée, en vidant des chopes, il ne parla que de sa petite cousine qui l'attendait pour se marier. Enfin, on le mène au lit du gros monsieur, et, cette même nuit, le wacht-mann° qui passait dans la rue des *Minnesaengers* aperçoit quelque chose à la tringle. Il lève sa lanterne: c'était le 20 militaire, avec son congé définitif dans un tuyau de fer blanc, sur la cuisse gauche, et les mains collées sur les coutures de pantalon, comme à la parade!

«Pour le coup, c'est extraordinaire! Le bourgmestre crie, fait le diable. On visite la chambre. On recrépit les 25 murs et l'on envoie l'extrait mortuaire à Newstadt.

«Le greffier avait écrit en marge: «Mort d'apoplexie foudroyante!

«Tout Nuremberg était indigné contre l'aubergiste. Il y en avait même qui voulaient le forcer d'ôter sa tringle de fer, 30 sous prétexte qu'elle inspirait des idées dangereuses aux

---

[15] **demande à.** Often one should supply "something" before à.

[16] **troisième.** Since the French say "ground floor" where we say "first floor," what story of the building is meant here?

[17] **passe pour une fois,** "it can be excused for once"; "once does not matter."

[18] **voilà que.** Something like the English expression "now, didn't . . . so and so happen."

gens. Mais vous pensez que le vieux Nikel Schmidt n'entendit pas de cette oreille.

«Cette tringle, dit-il, a été mise là par mon grand-père. Elle porte l'enseigne du *Bœuf-Gras* de père en fils depuis cent
5 cinquante ans. Elle ne fait de tort [19] à personne, pas même aux voitures de foin qui passent dessous, puisqu'elle est à plus de trente pieds. Ceux qu'elle gêne n'ont qu'à détourner la tête, ils ne la verront pas.»

«On finit par se calmer, et pendant plusieurs mois il n'y
10 eut rien de nouveau. Malheureusement un étudiant de Heidelberg° qui se rendait à l'Université s'arrête [20] avant-hier au *Bœuf-Gras* et demande à coucher.[21] C'était le fils d'un pasteur.

«Comment supposer que le fils d'un pasteur aurait l'idée
15 de se pendre à la tringle d'une enseigne, parce qu'un gros monsieur et un militaire s'y étaient pendus? Il faut avouer, maître Christian, que la chose n'était guère probable. Ces raisons ne vous auraient pas paru suffisantes, ni à moi non plus. Eh bien...

20 —Assez! assez! m'écriai-je, cela est horrible.... Je devine là-dessous un affreux mystère. Ce n'est pas la tringle, ce n'est pas la chambre...

—Est-ce que vous soupçonneriez l'aubergiste, le plus honnête homme du monde, appartenant à l'une des plus
25 anciennes familles de Nuremberg?

—Non, non, Dieu me garde de concevoir d'injustes soupçons, mais il y a des abîmes qu'on n'ose sonder du regard.

—Vous avez bien raison, dit Toubac, étonné de mon
30 exaltation; il vaut mieux parler d'autre chose. A propos, maître Christian, et notre paysage de Sainte-Odile°?»

Cette question me ramena dans le monde positif. Je fis voir au brocanteur le tableau que je venais de terminer.

---

[19] **fait de tort**, " causes harm to."

[20] **s'arrête.** The historical present tense. The same tense can be used in the English meaning; or the past, if preferred.

[21] **demande à coucher**, " asks for a lodging "; " asks for a room."

L'affaire fut bientôt conclue, et Toubac, fort satisfait, descendit l'échelle en m'engageant à ne plus songer à l'étudiant de Heidelberg.

J'aurais volontiers suivi le conseil du brocanteur; mais quand le diable se mêle de nos affaires, il n'est pas facile de 5 s'en débarrasser.

CHAPITRE II

Dans la solitude, tous ces événements se retracèrent à mon esprit avec une lucidité effrayante.

La vieille, me dis-je, est cause de tout. Elle seule a médité ces crimes, et les a consommés; mais par quel 10 moyen? A-t-elle eu recours à la ruse, ou bien à l'intervention des puissances invisibles?

Je me promenais dans mon réduit; une voix intérieure me criait: «Ce n'est pas en vain que le ciel t'a permis de voir Flédermausse contempler l'agonie de sa victime; ce n'est 15 pas en vain que l'âme du pauvre jeune homme est venue t'éveiller sous la forme d'un papillon de nuit... non! ce n'est pas en vain! Christian, le ciel t'impose une mission terrible. Si tu ne l'accomplis pas, crains de tomber toi-même dans les filets de la vieille. Peut-être en ce moment, prépare-t-elle 20 déjà sa toile dans l'ombre!»

Durant plusieurs jours, ces images affreuses me poursuivirent sans trêve; j'en perdais le sommeil; il m'était impossible de rien faire; le pinceau me tombait de la main, et, chose atroce à dire, je me surprenais quelquefois à con- 25 sidérer la tringle avec complaisance. Enfin, n'y tenant plus, je descendis un soir l'échelle quatre à quatre, et j'allai me blottir derrière la porte de Flédermausse, pour surprendre son fatal secret.

Dès lors, il ne se passa plus un jour que je ne fusse en 30 route, suivant la vieille, l'épiant, ne la perdant pas de vue; mais elle était si rusée, elle avait le flair tellement subtil, que, sans même tourner la tête, elle me devinait derrière elle et me savait à ses trousses. Du reste, elle feignait de ne pas s'en apercevoir; elle allait au marché, à la boucherie comme 35 une simple bonne femme; seulement, elle hâtait le pas et murmurait des paroles confuses.

Au bout d'un mois, je vis qu'il me serait impossible d'atteindre à mon but par ce moyen, et cette conviction me
5 rendit d'une tristesse inexprimable.

«Que faire? me disais-je. La vieille devine mes projets, elle se tient sur ses gardes, tout m'abandonne... tout! O vieille scélérate! tu crois déjà me voir au bout de la ficelle!»

A force de me poser cette question «que faire? que faire?»
10 une idée lumineuse frappa mon esprit. Ma chambre dominait la maison de Flédermausse, mais il n'y avait pas de lucarne de ce côté. Je soulevai légèrement une ardoise, et l'on ne saurait se peindre ma joie, quand je vis toute l'antique masure à découvert. «Enfin, je te tiens! m'écriai-
15 je, tu ne peux m'échapper! d'ici, je verrai tout: tes allées, tes venues, les habitudes de la fouine [22] dans sa tanière. Tu ne soupçonneras pas cet œil invisible... cet œil qui surprend le crime au moment d'éclore. Oh! la justice! elle marche lentement... mais elle arrive!

20 Rien de sinistre comme ce repaire vu de là: — une cour profonde à larges dalles moussues; dans l'un des angles, un puits, dont l'eau croupissante faisait peur à voir; un escalier en coquille; au fond, une galerie à [23] rampe de bois; sur la balustrade du vieux linge, la taie d'une paillasse; — au
25 premier étage,[24] à gauche, la pierre d'un égout indiquant la cuisine; à droite, les hautes fenêtres du bâtiment donnant sur la rue, quelques pots de fleurs desséchées, tout cela sombre, lézardé, humide.

Le soleil ne pénétrait qu'une heure ou deux par jour au
30 fond de ce cloaque; puis l'ombre remontait, la lumière se découpait en losanges sur les murailles décrépites, sur le balcon vermoulu, sur les vitres ternes. — Des tourbillons d'atomes voltigeaient dans les rayons d'or, que n'agitait pas

---

[22] la fouine. Figuratively, a fouine is a Paul Pry; one who loves secrecy.

[23] à. This preposition has many uses; here, " provided with."

[24] premier étage. Where do the French begin their count?

un souffle. Oh! c'était bien l'asile de Flédermausse: elle devait s'y plaire.

Je terminais à peine ces réflexions, que la vieille entra. Elle revenait du marché. J'entendis sa lourde porte grincer. Puis Flédermausse apparut avec son panier. Elle paraissait 5 fatiguée, hors d'haleine. Les franges de son bonnet lui pendaient sur le nez, — se cramponnant d'un main à la rampe, elle gravit l'escalier.

Il faisait une chaleur suffocante, — c'était précisément un de ces jours où tous les insectes, les grillons, les araignées, les 10 moustiques, remplissent les vieilles masures de leurs bruits de râpes et de tarières souterraines.

Flédermausse traversa lentement la galerie, comme un furet qui se sent chez soi. — Elle resta plus d'un quart d'heure dans la cuisine, puis revint étendre son linge, 15 donner un coup de balai sur les marches, où traînaient quelques brins de paille. Enfin, elle leva la tête, et se mit à parcourir de ses yeux verts le tour du toit.... cherchant.... furetant du regard.

Par quelle étrange intuition soupçonnait-elle quelque 20 chose? Je ne sais,[25] mais j'abaissai doucement l'ardoise et je renonçai à faire le guet ce jour-là.

Le lendemain, Flédermausse paraissait rassurée. Un angle de lumière se déchiquetait dans la galerie.

En passant, elle prit une mouche au vol et la présenta 25 délicatement à une araignée établie dans l'angle du toit.

L'araignée était si grosse, que, malgré la distance, je la vis descendre d'échelon en échelon, puis glisser le long d'un fil, comme une goutte de venin, saisir sa proie entre les mains de la mégère et remonter rapidement. Alors la vieille regarda 30 fort attentivement, ses yeux se fermèrent à demi... elle éternua, et se dit à elle-même d'un ton railleur:

«Dieu vous bénisse! la belle,[26] Dieu vous bénisse!»

[25] Je ne sais. *Pas* may often be omitted after words like *savoir*, *pouvoir*, *oser*, etc.

[26] la belle. The use of the article in address is common in familiar speech. A peasant might address his wife with "la femme." Use here "You beauty."

Durant six semaines, je ne pus rien découvrir touchant la puissance de Flédermausse; tantôt assise sous l'échoppe, elle pelait ses pommes de terre, tantôt elle étendait son linge sur la balustrade. Je la vis filer quelquefois, mais jamais elle ne
5 chantait, comme c'est la coutume des bonnes vieilles femmes, dont la voix chevrotante se marie si bien au bourdonnement du rouet.

Le silence régnait autour d'elle. Elle n'avait pas de chat, cette société favorite des vieilles filles... pas un moineau ne
10 venait se poser sur ses chenets... les pigeons, en passant au-dessus de sa cour, semblaient étendre l'aile avec plus d'élan. — On aurait dit que tout avait peur de son regard. L'araignée° seule se plaisait dans sa compagnie.

Je ne conçois pas ma patience durant ces longues heures
15 d'observation; rien ne me lassait, rien ne m'était indifférent; — au moindre bruit, je soulevais l'ardoise: c'était une curiosité sans bornes, stimulée par une crainte indéfinissable.

Toubac se plaignait.

«Maître Christian, me disait-il, à quoi diable passez-vous
20 votre temps? Autrefois, vous me donniez quelque chose toutes les semaines; — à présent, c'est à peine tous les mois. Oh! les peintres! on a bien raison de dire: Paresseux comme un peintre! Aussitôt qu'ils ont quelques *kreutzers* devant eux, ils mettent les mains dans leurs poches et s'endor-
25 ment!»

Je commençais moi-même à perdre courage. — J'avais beau regarder... épier... je ne découvrais rien d'extraordi-naire; — j'en étais à me dire que la vieille pouvait bien n'être pas si dangereuse, que je lui faisais peut-être tort de la
30 soupçonner; bref, je lui cherchais des excuses; mais un beau soir que, l'œil à mon trou, je m'abandonnais à ces réflexions bénévoles, la scène changea brusquement.

Flédermausse passa sur la galerie avec la rapidité de l'éclair; elle n'était plus la même: elle était droite, les
35 mâchoires serrées, le regard fixe, le cou tendu; elle faisait de grands pas; ses cheveux gris flottaient derrière elle. «Oh! oh! me dis-je, il se passe quelque chose, attention!» Mais

les ombres descendirent sur cette grande demeure, les bruits de la ville expirèrent... le silence s'établit.

J'allais m'étendre sur ma couche, quand, jetant les yeux par la lucarne, je vis la fenêtre en face illuminée: un voyageur occupait la chambre du pendu. 5

Alors, toutes mes craintes se réveillèrent; l'agitation de Flédermausse s'expliquait: elle flairait une victime!

Je ne pus dormir de la nuit. Le froissement de la paille, le grignotement d'une souris sous le plancher, me donnaient froid. Je me levai, je me perchai à la lucarne... j'écoutai, — 10 la lumière d'en face était éteinte. Dans l'un de ces moments d'anxiété poignante, soit illusion, soit réalité, je crus voir la vieille mégère qui regardait aussi et prêtait l'oreille.

La nuit se passa, le jour vint grisonner mes vitres; peu à peu les bruits, les mouvements de la ville montèrent. 15 Harassé de fatigue et d'émotions, je venais de m'endormir; mais mon sommeil fut court; dès huit heures, j'avais pris mon poste d'observation.

Il paraît que la nuit de Flédermausse n'avait pas été moins orageuse que la mienne: lorsqu'elle poussa la porte de 20 la galerie, une pâleur livide couvrait ses joues et sa nuque maigre. Elle n'avait que sa chemise et un jupon de laine, quelques mèches de cheveux d'un gris roux tombaient sur ses épaules. Elle regarda de mon côté d'un air rêveur, mais elle ne vit rien; elle pensait à autre chose. — Tout à coup elle 25 descendit, laissant ses savates au haut de l'escalier; elle allait sans doute s'assurer que la porte d'en bas était bien fermée. Je la vis remonter brusquement, enjambant trois ou quatre marches à la fois... c'était effrayant. — Elle s'élança dans la chambre voisine; j'entendis [27] comme le 30 bruit d'un gros coffre dont le couvercle retombe. Puis Flédermausse apparut sur la galerie, traînant un mannequin derrière elle... et ce mannequin avait les habits de l'étudiant de Heidelberg.

La vieille, avec une dextérité surprenante, suspendit cet 35 objet hideux à la poutre du hangar, puis elle descendit pour

---

[27] **j'entendis.** Supply "something."

le contempler de la cour.   Un éclat de rire saccadé s'échappa de sa poitrine... elle remonta, descendit de nouveau comme une maniaque, et chaque fois poussant de nouveaux cris, de nouveaux éclats de rire.

5   Un bruit se fit entendre à la porte... la vieille bondit, décrocha le mannequin, l'emporta... revint... et, penchée sur la balustrade, le cou allongé, les yeux étincelants, elle prêta l'oreille... le bruit s'éloignait... les muscles de sa face se détendirent, elle respira longuement: une voiture venait de
10 passer.

La mégère avait eu peur.

Alors elle rentra de nouveau dans la chambre, et j'entendis le coffre qui se refermait.[28]

Cette scène bizarre confondait toutes mes idées: que
15 signifiait ce mannequin?

Je devins plus attentif que jamais.

Flédermausse venait de sortir avec son panier, je la suivis des yeux jusqu'au détour de la rue; — elle avait repris son air de vieillotte tremblotante, elle faisait de petits pas et
20 tournait de temps en temps la tête à demi, pour voir derrière elle du coin de l'œil.

Pendant cinq grandes heures elle resta dehors; — moi, j'allais, je venais, je méditais; le temps m'était insupportable; — le soleil chauffait les ardoises et m'embrasait le
25 cerveau.

Je vis à sa fenêtre le brave homme qui occupait la chambre des trois pendus.   C'était un bon paysan du Nassau°, à grand tricorne, à gilet écarlate, la figure riante, épanouie. Il fumait tranquillement sa pipe d'Ulm° sans se douter de
30 rien. J'avais envie de lui crier: «Brave homme, prenez garde! ne vous laissez pas fasciner par la vieille... défiez-vous!»   Mais il ne m'aurait pas compris.

Vers deux heures, Flédermausse rentra.   Le bruit de sa porte retentit au fond du vestibule.   Puis seule, bien seule,

---

[28] **qui se refermait.** It is very common in French to use a short relative clause as the equivalent of the English present participle in "-ing."   "I heard the chest closing."

elle parut dans la cour et s'assit sur la marche inférieure de l'escalier. — Elle déposa son grand panier devant elle et en tira d'abord quelques paquets d'herbages, quelques légumes, puis un gilet rouge, puis un tricorne replié, une veste de velours brun, des culottes de peluche... une paire de gros bas 5 de laine, — tout le costume du paysan de Nassau.

J'eus comme [29] des éblouissements. Des flammes me passèrent devant les yeux.

Je me rappelai ces précipices qui vous attirent avec une puissance irrésistible, ces puits qu'il avait fallu combler, 10 parce qu'on s'y précipitait; ces arbres qu'il avait fallu abattre, parce qu'on s'y pendait; cette contagion de suicides, de meurtres, de vols à certaines époques, par des moyens déterminés; cet entraînement *bizarre* de l'exemple, qui fait bâiller parce qu'on voit bâiller; souffrir, parce qu'on voit 15 souffrir; se tuer, parce que d'autres se tuent... et mes cheveux se dressèrent d'épouvante !

Comment cette Flédermausse, cette créature sordide, avait-elle pu deviner une loi si profonde de la nature? Comment avait-elle trouvé moyen de l'exploiter au profit 20 de ses instincts sanguinaires ! Voilà ce que je ne pouvais comprendre, voilà ce qui dépassait toute mon imagination; mais sans réfléchir davantage à ce mystère, je résolus aussitôt de tourner la loi fatale contre elle et d'attirer la vieille dans son propre piège. Tant d'innocentes victimes 25 criaient vengeance !

Je me mis donc en route. Je courus chez tous les fripiers de Nuremberg, et le soir j'arrivai à l'auberge des trois pendus, un énorme paquet sous le bras.

Nickel Schmidt me connaissait d'assez longue date. 30 J'avais fait le portrait de sa femme, une grosse commère fort appétissante.

«Eh ! maître Christian, s'écria-t-il en me secouant la main, quelle heureuse circonstance vous ramène? qui est-ce qui me procure le plaisir de vous voir? 35

---

[29] **J'eus comme.** Supply " something."

—Mon cher monsieur Schmidt, j'éprouve un véhément
désir de passer la nuit dans cette chambre.»

Nous étions sur le seuil de l'auberge, et je lui montrais la
chambre verte. Le brave homme me regarda d'un air
5 défiant.

«Oh! ne craignez rien, lui dis-je, je n'ai pas envie de me
pendre.

—A la bonne heure! à la bonne heure! car franchement
cela me ferait de la peine... un artiste de votre mérite....
10 Et pour quand voulez-vous cette chambre, maître Christian?

—Pour ce soir.

—Impossible, elle est occupée.

—Monsieur peut y entrer tout de suite, fit une voix
derrière nous; je n'y tiens pas!»

15 Nous nous retournâmes tout surpris. C'était le paysan
du Nassau, son grand tricorne sur la nuque et son paquet au
bout de son bâton de voyage. Il venait d'apprendre
l'aventure des trois pendus et tremblait de colère.

«Des chambres comme les vôtres! s'écria-t-il en bégayant,
20 mais... mais c'est un meurtre d'y mettre les gens! c'est un
assassinat! vous mériteriez d'aller aux galères!

—Allons,[30] allons, calmez-vous, dit l'aubergiste, cela ne
vous a pas empêché de bien dormir.

—Par bonheur, j'avais fait ma prière du soir, s'écria
25 l'autre, sans cela où serais-je? où serais-je?»

Et il s'éloigna en levant les mains au ciel.

«Eh bien, dit maître Schmidt, stupéfait, la chambre est
libre, mais n'allez pas me jouer un mauvais tour!

—Il serait plus mauvais pour moi, mon cher.»

30 Je remis mon paquet à la servante, et je m'installai
provisoirement avec les buveurs.

Depuis longtemps je ne m'étais senti plus calme, plus
heureux d'être au monde. Après tant d'inquiétudes, je
touchais au but; l'horizon semblait éclairci, et puis je ne sais
35 quelle [31] puissance formidable me donnait la main. J'allu-

---

[30] **Allons.** See note 36, page 38.
[31] **je ne sais quelle,** " some . . . or other."

mai ma pipe, et le coude sur la table, en face d'une chope, j'écoutai le chœur de *Freyschütz*°, exécuté par une troupe de Zigeiners du Schwartz-Wald°. La trompette, le cor de chasse, le hautbois, me plongeaient tour à tour dans une vague rêverie et parfois, m'éveillant pour regarder l'heure, 5 je me demandais sérieusement si tout ce qui m'arrivait n'était pas un songe. Mais quand le wachtmann vint nous prier d'évacuer la salle, d'autres pensées plus graves surgirent dans mon âme, et je suivis tout méditatif la petite Charlotte,[32] qui me précédait une chandelle à la main. 10

Chapitre III

Nous montâmes l'escalier tournant jusqu'au troisième. Elle me remit la lumière en m'indiquant une porte.

«C'est là, dit-elle en se hâtant de descendre.»

J'ouvris la porte. La chambre verte était une chambre d'auberge comme toutes les autres: le plafond très bas et le 15 lit fort haut. D'un coup d'œil, j'en explorai l'intérieur, puis je me glissai près de la fenêtre.

Rien n'apparaissait encore chez Flédermausse; seulement, au bout d'une longue pièce obscure brillait une lumière, une veilleuse sans doute. 20

«C'est bien, me dis-je en refermant le rideau, j'ai tout le temps nécessaire.»

J'ouvris mon paquet; je mis un bonnet de femme à longues franges, et m'étant armé d'un fusain, je m'installai devant la glace afin de me tracer des rides. Ce travail me 25 prit une bonne heure. Mais après avoir revêtu la robe et le grand châle, je me fis peur à moi-même, Flédermausse était là qui me regardait [33] du fond de la glace.

En ce moment, le wachtmann criait onze heures. Je montai vivement le mannequin que j'avais apporté; je 30

---

[32] **la petite Charlotte.** Evidently a serving maid. In French, when an adjective modifies a proper noun it is preceded by the article. This article is disregarded in the English meaning.

[33] **qui me regardait.** See note 28, page 60.

l'affublai d'un costume pareil à celui de la mégère, et j'entr'ouvris le rideau.

Certes, après tout ce que j'avais vu de la vieille, sa ruse infernale, sa prudence, son adresse, rien n'aurait dû me
5 surprendre.

Et cependant j'avais peur.

Cette lumière que j'avais remarquée au fond de la chambre, cette lumière immobile projetait alors sa lumière jaunâtre sur le mannequin du paysan de Nassau, lequel,
10 accroupi au bord du lit, la tête penchée sur la poitrine, son grand tricorne rabattu sur la figure, les bras pendants, semblait plongé dans le désespoir.

L'ombre, ménagée avec un art diabolique, ne laissait paraître que l'ensemble de la figure; le gilet rouge et six
15 boutons arrondis se détachaient seuls des ténébres... mais c'est le silence de la nuit, c'est l'immobilité complète du personnage, son air morne, affaissé, qui devaient s'emparer de l'imagination du spectateur avec une puissance inouïe. Moi-même, quoique prévenu, je me sentis froid dans les
20 os. — Qu'aurait-ce donc été d'un pauvre campagnard, surpris à l'improviste? Il eût été terrassé... il eût perdu son libre arbitre... et l'esprit d'imitation aurait fait le reste.

A peine eus-je remué le rideau que je vis Flédermausse à
25 l'affût derrière ses vitres.

Elle ne pouvait me voir. J'entr'ouvris doucement la fenêtre... la fenêtre en face s'entrouvrit; puis le mannequin parut se lever lentement et s'avancer vers moi, je m'avançai de même, et saisissant mon flambeau d'une main, de l'autre
30 j'ouvris brusquement la croisée.

La vieille et moi nous étions face à face: car, frappée de stupeur, elle avait laissé tomber son mannequin.

Nos deux regards se croisèrent avec une égale terreur.

Elle étendit le doigt, j'étendis le doigt; ses lèvres s'agi-
35 tèrent, j'agitai les miennes; elle exhala un profond soupir et s'accouda, je m'accoudai...

Dire ce que cette scène avait d'effrayant, je ne le puis.[34] Cela tenait du délire, de l'égarement, de la folie! Il y avait lutte entre deux volontés, entre deux intelligences, entre deux âmes, dont l'une voulait anéantir l'autre, et dans cette lutte la mienne avait l'avantage. Les victimes luttaient avec moi!

Après avoir imité pendant quelques secondes tous les mouvements de Flédermausse, je tirai une corde de dessous mon jupon et je l'attachai à la tringle.

La vieille me considérait bouche béante. Je passai la corde à mon cou. Ses prunelles fauves s'illuminèrent, sa figure se décomposa.

«Non! non! fit-elle d'une voix sifflante, non!»

Je poursuivis avec l'impassibilité du bourreau.

Alors la rage saisit Flédermausse.

«Vieille folle! hurla-t-elle en se redressant, les mains crispées sur la traverse, vieille folle!»

Je ne lui donnai pas le temps de continuer: soufflant tout à coup ma lampe, je me baissai comme un homme qui veut prendre un élan vigoureux, et, saisissant le mannequin je lui passai la corde au cou, puis je le précipitai dans l'espace.

Un cri terrible traversa la rue.

Après ce cri tout rentra dans le silence.

La sueur ruisselait de mon front... j'écoutai longtemps.... Au bout d'un quart d'heure j'entendis... loin... bien loin... la voix du wachtmann qui criait: «Habitants de Nuremberg... minuit... minuit sonné...»

«Maintenant, justice est faite, murmurai-je, les trois victimes sont vengées.... Seigneur, pardonnez-moi.»

Or, ceci se passait environ cinq minutes après le dernier cri du wachtmann, et je venais d'apercevoir la mégère, attirée par son image, s'élancer de sa fenêtre la corde au cou et rester suspendue à sa tringle. Je vis le frisson de la mort onduler sur ses reins, et la lune calme, silencieuse, débordant

---

[34] **je ne le puis.** See note 25, page 57. **le** refers to the entire idea which precedes, and it is disregarded in the English meaning.

à la cime du toit, reposer sur sa tête échevelée ses froids et pâles rayons.

Tel j'avais vu le pauvre jeune homme... telle je vis Flédermausse.

5 Le lendemain, tout Nuremberg apprit que la chauve-souris s'était pendue. Ce fut le dernier événement de ce genre dans la rue des *Minnaesingers*.

LE TRAIN 081

By Permission of G. Crès et Cie.

Du bosquet où j'écris, la grande terreur de ma vie me paraît lointaine. Je suis un vieux retraité qui se repose les jambes sur la pelouse de sa maisonnette; et je me demande souvent si c'est bien moi — le même moi — qui ai fait le dur service de mécanicien sur la ligne de P.-L.-M.°, — et je 5 m'étonne de n'être pas mort sur le coup, la nuit du 22 septembre 1865.

Je peux dire que je le connais, ce service de Paris à Marseille. Je mènerais [1] la machine les yeux fermés, par les descentes et les montées, les entrecroisements de voies, les 10 embranchements et aiguillages, les courbes et les ponts de fer. De chauffeur de troisième classe j'étais arrivé mécanicien de première,[2] et l'avancement est bien long. Si j'avais eu plus d'instruction, je serais sous-chef de dépôt. Mais quoi![3] sur les machines on s'abêtit; on peine la nuit, 15 on dort le jour. De notre temps la mobilisation n'était pas réglée, comme maintenant; les équipes de mécaniciens n'étaient pas formées: nous n'avions pas de tour régulier. Comment étudier? Et moi surtout: il fallait avoir la tête solide pour résister à la secousse que j'ai eue. 20

Mon frère, lui,[4] avait pris la flotte. Il était dans les machines des transports. Il était entré là-dedans avant 1860, la campagne de Chine°. Et la guerre finie, je ne sais comment [5] il était resté dans le pays jaune, vers une ville qu'on nomme Canton. Les Yeux-Tirés l'avaient gardé pour leur mener des machines à vapeur. Sur une lettre que

---

[1] mènerais. See note 38, page 39.

[2] première. Why is "first" feminine? What is understood?

[3] quoi. Exclamation, "What could I do"; "What could you expect."

[4] lui. Disregarded in English, except to add emphasis to **mon frère**.

[5] je ne sais **comment**, "somehow . . . or other."

j'avais reçue de lui en 1862, il me disait qu'il était marié, et qu'il avait une petite fille. Je l'aimais bien, mon frère, et cela me faisait deuil de ne plus le voir; et nos vieux aussi n'en étaient point contents. Ils étaient trop seuls, dans leur
5 petite cahute, en campagne, tirant sur [6] Dijon°; et, leurs deux gars partis, ils dormaient tristement l'hiver, à petits coups, au coin du feu.

Vers le mois de mai 1865, on a commencé à s'inquiéter à Marseille de ce qui se passait au Levant. Les paquebots
10 qui arrivaient apportaient de mauvaises nouvelles de la mer Rouge. On disait que le choléra avait éclaté à la Mecque. Les pèlerins mouraient par milliers. Et puis la maladie avait gagné Suez, Alexandrie; elle avait sauté jusqu'à Constantinople. On savait que c'était le choléra asiatique:
15 les navires restaient en quarantaine au lazaret; tout le monde était dans une crainte vague.

Je n'avais pas grande responsabilité là-dessus; mais je peux dire que l'idée de voiturer la maladie me tourmentait beaucoup. Sûr, elle devait [7] gagner Marseille; elle arrive-
20 rait à Paris par le rapide. Dans ce temps-là, nous n'avions pas de boutons d'appel pour les voyageurs. Maintenant, je sais qu'on a installé des mécanismes fort ingénieux. Il y a un déclanchement qui serre le frein automatique, et au même moment une plaque blanche se lève en travers du
25 wagon comme une main, pour montrer où est le danger. Mais rien de semblable n'existait alors. Et je savais que si un voyageur était pris de cette peste d'Asie qui vous étouffe en une heure, il mourrait sans secours, et que je ramènerais à Paris, en gare de Lyon°, son cadavre bleu.
30 Le mois de juin commence, et le choléra est à Marseille. On disait que les gens y crevaient comme des mouches. Ils tombaient dans la rue, sur le port, n'importe où. Le mal était terrible; deux ou trois convulsions, un hoquet sanglant, et c'était fini. Dès la première attaque, on devenait froid

---

[6] **tirant sur.** An expression usually applying to colors. See Vocabulary.

[7] **devait,** " had to "; idea of inevitability.

comme un morceau de glace; et les figures des gens morts
étaient marbrées de taches larges comme des pièces de cent
sous°.   Les voyageurs sortaient de la salle aux fumigations
avec un brouillard de vapeur puante autour de leurs
vêtements.   Les agents de la Compagnie ouvraient l'œil; et   5
dans notre triste métier nous avions une inquiétude de plus.

  Juillet, août, la mi-septembre se passent; la ville était
désolée, — mais nous reprenions confiance.   Rien à Paris
jusqu'à présent.   Le 22 septembre au soir, je prends la
machine du train 180 avec mon chauffeur Graslepoix.   10

  Les voyageurs dorment dans leurs wagons, la nuit, —
mais notre service, à nous, c'est de veiller, les yeux ouverts,
tout le long de la voie.   Le jour, pour le soleil, nous avons
de grosses lunettes à cage, encastrées dans nos casquettes.
On les appelle des lunettes mistraliennes.   Les coques de 15
verre bleu nous garantissent de la poussière.   La nuit, nous
les relevons sur notre front; et avec nos foulards, les
oreilles [8] de nos casquettes rabattues et nos gros cabans,
nous avons l'air de diables montés sur des bêtes aux yeux
rouges.   La lumière de la fournaise nous éclaire et nous 20
chauffe le ventre; la bise nous coupe les joues; la pluie nous
fouette la figure.   Et la trépidation nous secoue les tripes
à [9] nous faire perdre haleine.   Ainsi caparaçonnés, nous
nous tirons les yeux dans l'obscurité à chercher les signaux
rouges.   Vous en trouverez bien de vieillis dans le métier 25
que le Rouge° a rendus fous.   Encore maintenant, cette
couleur me saisit et m'étreint d'une angoisse inexprimable.
La nuit souvent je me réveille en sursaut, avec un éblouissement *rouge* dans les yeux: effrayé, je regarde dans le noir —
il me semble que tout craque autour de moi, — et d'un jet 30
le sang me monte à la tête; puis je pense que je suis dans mon
lit, et je me renfonce entre mes draps.

  Cette nuit-là, nous étions abattus par la chaleur humide.

----

  [8] oreilles. "Flaps."
  [9] à. Another idiomatic use of this preposition; say "enough to," or
"to the point of."

Il pleuvotait à gouttes tièdes; le copain° Graslepoix enfour-
nait son charbon par pelletées régulières; la locomotive
ballait et tanguait dans les courbes fortes.   Nous marchions
65 [10] à l'heure, bonne vitesse.   Il faisait noir comme dans un
5 four.   Passé la gare de Nuits°, et roulant [11] sur Dijon, il
était une heure du matin.   Je pensais à nos deux vieux qui
devaient dormir tranquillement, quand tout à coup j'entends
souffler une machine sur la double voie.   Nous n'attendions
entre Nuits et Dijon, à une heure, ni train montant,[12] ni
10 train descendant.

—Qu'est-ce que c'est que ça, Graslepoix? dis-je au chauffeur.   Nous ne pouvons pas renverser la vapeur.

—Pas de pétard,[13] dit Graslepoix — : c'est sur la double
voie.   On peut baisser la pression.

15   Si nous avions eu, comme aujourd'hui, un frein à air
comprimé... lorsque soudain, avec un élan subit, le train de
la double voie rattrapa le nôtre et roula de front avec lui.
Les cheveux m'en dressent quand j'y pense.

Il était tout enveloppé d'un brouillard rougeâtre.   Les
20 cuivres de la machine brillaient.   La vapeur fusait sans
bruit sur le timbre.   Deux hommes noirs dans la brume
s'agitaient sur la plate-forme.   Ils nous faisaient face et
répondaient à nos gestes.   Nous avions sur une ardoise le
numéro du train, marqué à la craie: 180. — Vis-à-vis de
25 nous, à la même place, un grand tableau blanc s'étalait, avec
ces chiffres en noir: 081.   La file des wagons se perdait dans
la nuit, et toutes les vitres des quatre portières étaient
sombres.

---

[10] **65.**   This means *kilometres*.   If a kilometer is $\frac{5}{8}$ of a mile, how fast
were they going in miles per hour?

[11] **roulant.**   Term used in railway parlance; say " approaching."

[12] **montant.**   As we say " up " train and " down " train; which was
Train 180?

[13] **— Pas de pétard.**   In slang, **pétard** means "fuss."   **Ne fais pas de
pétard,** or **pas de pétard** means: " Don't make any fuss ";   " Don't get
excited."

—En voilà, d'une histoire![14] dit Graslepoix. Si jamais
j'aurais cru... Attends, tu vas voir.[15]

Il se baissa, prit une pelletée de charbon, et le jeta au feu.
— En face, un des hommes noirs se baissa de même et
enfonça sa pelle dans la fournaise. Sur la brume rouge, je 5
vis ainsi se détacher l'ombre de Graslepoix.

Alors une lumière étrange se fit dans ma tête, et mes idées
disparurent pour faire place à une imagination extraordinaire. J'élevai le bras droit, — et l'autre homme noir éleva
le sien; je lui fis un signe de tête, — et il me répondit. Puis 10
aussitôt je le vis se glisser jusqu'au marchepied, et je *sus*
que j'en faisais autant. Nous longeâmes° le train en
marche, et devant nous la portière du wagon A. A. F. 2551°
s'ouvrit d'elle-même. Le spectacle d'en face frappa seul
mes yeux, — et pourtant je *sentais* que la même scène se 15
produisait dans *mon* train. Dans ce wagon, un homme
était couché, la figure recouverte d'un tissu de poil blanc;
une femme et une petite fille, enveloppées de soieries
brodées de fleurs jaunes et rouges, gisaient inanimées sur les
coussins. Je *me vis* aller à cet homme et le découvrir. Il 20
avait la poitrine nue. Des plaques bleuâtres tachaient sa
peau; ses doigts, crispés, étaient ridés et ses ongles livides;
ses yeux étaient entourés de cercles bleus. Tout cela, je
l'aperçus d'un coup d'œil, et je reconnus aussi que j'avais
devant moi *mon frère et qu'il était mort du choléra.* 25

Quand je repris connaissance, j'étais en gare de Dijon.
Graslepoix me tamponnait le front, — et il m'a souvent
soutenu que je n'avais pas quitté la machine — mais je sais
le contraire. Je criai aussitôt: «Courez au A. A. F. 2551!»
— Et je me traînai jusqu'au wagon, — et je vis mon frère 30
mort comme je l'avais vu avant. Les employés fuirent
épouvantés. Dans la gare on n'entendait que ces mots:
«Le choléra bleu!»

Alors Graslepoix emporta la femme et la petite, qui
n'étaient évanouies que de peur, — et, comme personne ne 35

[14] **En voilà, d'une histoire.** Use something like " That's queer! "
[15] **tu vas voir.** *Aller* is often used for the English future tense.

voulait les prendre, il les coucha sur la machine, dans le
poussier doux du charbon, avec leurs pièces de soie brodée.

Le lendemain, 23 septembre, le choléra s'est abattu sur
Paris, après l'arrivée du rapide de Marseille.

. . . .

5   La femme de mon frère est Chinoise; elle a les yeux fendus
en amande et la peau jaune.   J'ai eu du mal à l'aimer:
cela [16] paraît drôle, une personne d'une autre race.   Mais la
petite ressemblait tant à mon frère!   Maintenant que je
suis vieux et que les trépidations des machines m'ont rendu
10 infirme, elles vivent avec moi, — et nous vivons tranquilles,
sauf que nous nous souvenons de cette terrible nuit du 22
septembre 1865, où le choléra bleu est venu de Marseille à
Paris par le train 081.

---

[16] **cela.**   Not properly used to refer to a person, but is often used im-
personally to introduce a logical subject.   Consider it here as " that
sort of thing."

LE HORLA

LE HORLA

8 *mai.* — Quelle journée admirable! j'ai passé toute la matinée étendu sur l'herbe, devant ma maison, sous l'énorme platane qui la couvre, l'abrite et l'ombrage tout entière.

J'aime ce pays, et j'aime y vivre parce que j'y ai mes racines, ces profondes et délicates racines, qui attachent un homme à la terre où sont nés et morts ses aïeux, qui l'attachent à ce qu'on pense et à ce qu'on mange, aux usages comme aux nourritures, aux locutions locales, aux intonations des paysans, aux odeurs du sol, des villages et de l'air lui-même. 10

J'aime ma maison où j'ai grandi. De mes fenêtres, je vois la Seine° qui coule,[1] le long de mon jardin, derrière la route, presque chez moi, la grande et large Seine qui va de Rouen au Havre, couverte de bateaux qui passent.

A gauche, là-bas, Rouen, la vaste ville aux toits bleus, 15 sous le peuple pointu des clochers gothiques. Ils sont innombrables, frêles ou larges, dominés par la flèche de fonte de la cathédrale, et pleins de cloches qui sonnent dans l'air bleu des belles matinées, jetant jusqu'à moi leur doux et lointain bourdonnement de fer, leur chant d'airain que la 20 brise m'apporte, tantôt plus fort et tantôt plus affaibli, suivant qu'elle s'éveille ou s'assoupit.

Comme il faisait bon ce matin!

Vers onze heures, un long convoi de navires, traînés par un remorqueur, gros comme une mouche, et qui râlait de peine 25 en vomissant une fumée épaisse défila devant ma grille.

Après deux goëlettes anglaises, dont le pavillon rouge ondoyait sur le ciel, venait un superbe trois-mâts brésilien, tout blanc, admirablement propre et luisant. Je le saluai, je ne sais pourquoi, tant ce navire me fit plaisir à voir. 30

---

[1] **qui coule.** Equivalent to the English verb in " -ing." See note 28, page 60.

77

12 *mai*. — J'ai un peu de fièvre depuis quelques jours; je me sens souffrant, ou plutôt je me sens triste.

D'où viennent ces influences mystérieuses qui changent en découragement notre bonheur et notre confiance en détresse?
5 On dirait que l'air, l'air invisible est plein d'inconnaissables Puissances, dont nous subissons les voisinages mystérieux. Je m'éveille plein de gaîté, avec des envies de chanter dans la gorge. — Pourquoi? — Je descends le long de l'eau; et soudain, après une courte promenade, je rentre désolé,
10 comme si quelque malheur m'attendait chez moi. — Pourquoi? — Est-ce un frisson de froid qui, frôlant ma peau, a ébranlé mes nerfs et assombri mon âme? Est-ce la forme des nuages, ou la couleur du jour, la couleur des choses, si variable, qui, passant par mes yeux, a troublé ma pensée?
15 Sait-on? Tout ce qui nous entoure, tout ce que nous voyons sans le regarder, tout ce que nous frôlons sans le connaître, tout ce que nous touchons sans le palper, tout ce que nous rencontrons sans le distinguer, a sur nous, sur nos organes et, par eux, sur nos idées, sur notre cœur lui-même, des effets
20 rapides, surprenants et inexplicables.

Comme il est profond, ce mystère de l'Invisible! Nous ne le pouvons sonder avec nos sens misérables, avec nos yeux qui ne savent apercevoir ni le trop petit, ni le trop grand, ni le trop près, ni le trop loin, ni les habitants d'une étoile, ni
25 les habitants d'une goutte d'eau... avec nos oreilles qui nous trompent, car elles nous transmettent les vibrations de l'air en notes sonores. Elles sont des fées qui font ce miracle de changer en bruit ce mouvement et par cette métamorphose donnent naissance à la musique, qui rend chantante l'agita-
30 tion muette de la nature... avec notre odorat, plus faible que celui du chien... avec notre goût, qui peut à peine discerner l'âge d'un vin!

Ah! si nous avions d'autres organes qui accompliraient en notre faveur d'autres miracles, que de choses nous pourrions
35 découvrir encore autour de nous!

16 *mai*. — Je suis malade, décidément! Je me portais si bien le mois dernier! J'ai la fièvre, une fièvre atroce ou

plutôt un énervement fiévreux, qui rend mon âme aussi souffrante que mon corps. J'ai sans cesse cette sensation affreuse d'un danger menaçant, cette appréhension d'un malheur qui vient ou de la mort qui approche, ce pressentiment qui est sans doute l'atteinte d'un mal encore inconnu, germant dans le sang et dans la chair.

18 *mai*. — Je viens d'aller consulter mon médecin, car je ne pouvais plus dormir. Il m'a trouvé le pouls rapide, l'œil dilaté, les nerfs vibrants, mais sans aucun symptôme alarmant. Je dois me soumettre aux douches et boire du bromure de potassium.

25 *mai*. — Aucun changement! Mon état, vraiment, est bizarre. A mesure qu'approche le soir, une inquiétude incompréhensible m'envahit, comme si la nuit cachait pour moi une menace terrible. Je dîne vite, puis j'essaye de lire; mais je ne comprends pas les mots; je distingue à peine les lettres. Je marche alors dans mon salon de long en large, sous l'oppression d'une crainte confuse et irrésistible, la crainte du sommeil et la crainte du lit.

Vers deux heures, je monte dans ma chambre. A peine entré, je donne deux tours de clef°, et je pousse les verrous; j'ai peur... de quoi?... Je ne redoutais rien jusqu'ici... j'ouvre mes armoires, je regarde sous mon lit; j'écoute... j'écoute... quoi?... Est-ce étrange qu'un simple malaise, un trouble de la circulation peut-être, l'irritation d'un filet nerveux, un peu de congestion, une toute petite perturbation dans le fonctionnement si imparfait et si délicat de notre machine vivante, puisse faire un mélancolique du plus joyeux des hommes, et un poltron du plus brave? Puis, je me couche, et j'attends le sommeil comme on attendrait le bourreau. Je l'attends avec l'épouvante de sa venue et mon cœur bat, et mes jambes frémissent; et tout mon corps tressaille dans la chaleur des draps, jusqu'au moment où je tombe tout à coup dans le repos, comme on tomberait pour s'y noyer, dans un gouffre d'eau stagnante. Je ne le sens pas venir, comme autrefois ce sommeil perfide, caché près de moi, qui me guette, qui va me saisir par la tête, me fermer les yeux, m'anéantir.

Je dors — longtemps — deux ou trois heures — puis un rêve — non — un cauchemar m'étreint. Je sens bien que je suis couché et que je dors... Je le sens et je le vois... et je sens aussi que quelqu'un s'approche de moi, me regarde, me palpe, monte sur mon lit, s'agenouille sur ma poitrine, me prend le cou entre ses mains et serre... serre... de toute sa force pour m'étrangler.

Moi, je me débats, lié par cette impuissance atroce, qui nous paralyse dans les songes; je veux crier — je ne peux pas; — je veux remuer — je ne peux pas; — j'essaye, avec des efforts affreux, en haletant, de me tourner, de rejeter cet être qui m'écrase et qui m'étouffe — je ne peux pas!

Et soudain, je m'éveille, affolé, couvert de sueur. J'allume une bougie. Je suis seul.

Après cette crise, qui se renouvelle toutes les nuits, je dors enfin, avec calme, jusqu'à l'aurore.

2 *juin*. — Mon état s'est encore aggravé. Qu'ai-je donc? Le bromure n'y fait rien; les douches n'y font rien. Tantôt, pour fatiguer mon corps, si las pourtant, j'allai faire un tour dans la forêt de Roumare. Je crus d'abord que l'air frais, léger et doux, plein d'odeur d'herbes et de feuilles, me versait aux veines un sang nouveau, au cœur une énergie nouvelle. Je pris une grande avenue de chasse, puis je tournai vers La Bouille, par une allée étroite, entre deux armées d'arbres démesurément hauts qui mettaient un toit vert, épais, presque noir, entre le ciel et moi.

Un frisson me saisit soudain, non pas un frisson de froid, mais un étrange frisson d'angoisse.

Je hâtai le pas, inquiet d'être seul dans ce bois, apeuré sans raison, stupidement, par la profonde solitude. Tout à coup, il me sembla que j'étais suivi, qu'on marchait sur mes talons, tout près, à me toucher.

Je me retournai brusquement. J'étais seul. Je ne vis derrière moi que la droite et large allée, vide, haute, redoutablement vide; et de l'autre côté elle s'étendait aussi à perte de vue, toute pareille, effrayante.

Je fermai les yeux. Pourquoi! Et je me mis à tourner

sur un talon, très vite, comme une toupie. Je faillis tomber; je rouvris les yeux; les arbres dansaient: la terre flottait; je dus m'asseoir. Puis, ah! je ne savais plus par où j'étais venu! Bizarre idée! Bizarre! Bizarre idée! Je ne savais plus du tout. Je partis par le côté qui se trouvait 5 à ma droite, et je revins dans l'avenue qui m'avait amené au milieu de la forêt.

3 *juin.* — La nuit a été horrible. Je vais m'absenter pendant quelques semaines. Un petit voyage, sans doute, me remettra.   10

2 *juillet.* — Je rentre. Je suis guéri. J'ai fait d'ailleurs une excursion charmante. J'ai visité le mont Saint-Michel° que je ne connaissais pas.

. . . .

3 *juillet.* — J'ai mal dormi; certes, il y a ici une influence 15 fiévreuse, car mon cocher souffre du même mal que moi. En rentrant hier, j'avais remarqué sa pâleur singulière. Je lui demandai:

—Qu'est-ce que vous avez, Jean?

—J'ai que je ne peux plus me reposer, Monsieur, ce sont 20 mes nuits qui mangent mes jours. Depuis le départ de Monsieur, cela me tient comme un sort.

Les autres domestiques vont bien cependant, mais j'ai grand'peur d'être repris, moi.

4 *juillet.* — Décidément, je suis repris. Mes cauchemars 25 anciens reviennent. Cette nuit, j'ai senti quelqu'un accroupi sur moi, et qui, sa bouche sur la mienne, buvait ma vie entre mes lèvres. Oui, il la puisait dans ma gorge, comme aurait fait une sangsue. Puis il s'est levé, repu, et moi je me suis réveillé, tellement meurtri, brisé, anéanti, que 30 je ne pouvais plus remuer. Si cela continue encore quelques jours, je repartirai certainement.

5 *juillet.* — Ai-je perdu la raison? Ce qui s'est passé la nuit dernière est tellement étrange, que ma tête s'égare quand j'y songe!   35

Comme je le fais maintenant chaque soir, j'avais fermé ma porte à clef; puis, ayant soif, je bus un demi-verre d'eau, et je remarquai par hasard que ma carafe était pleine jusqu'au bouchon de cristal.

Je me couchai ensuite et je tombai dans un de mes sommeils épouvantables, dont je fus tiré au bout de deux
5 heures environ par une secousse plus affreuse encore.

Figurez-vous un homme qui dort, qu'on assassine, et qui se réveille avec un couteau dans le poumon, et qui râle, couvert de sang, et qui ne peut plus respirer, et qui va mourir, et qui ne comprend pas — voilà.

10 Ayant enfin reconquis ma raison, j'eus soif de nouveau; j'allumai une bougie et j'allai vers la table où était posée ma carafe. Je la soulevai en la penchant sur mon verre; rien ne coula. — Elle était vide! Elle était vide complètement! D'abord je n'y compris rien; puis, tout à coup, je ressentis
15 une émotion si terrible, que je dus m'asseoir, ou plutôt, que je tombai sur une chaise! puis, je me redressai d'un saut pour regarder autour de moi! puis je me rassis, éperdu d'étonnement et de peur, devant le cristal transparent! Je le contemplais avec des yeux fixes, cherchant à deviner. Mes
20 mains tremblaient! On avait donc bu cette eau? Qui? Moi? moi, sans doute? Ce ne pouvait être que moi! Alors, j'étais somnambule, je vivais, sans le savoir, de cette double vie mystérieuse qui fait douter s'il y a deux êtres en nous, ou si un être étranger, inconnaissable et invisible,
25 anime, par moments quand notre âme est engourdie, notre corps captif qui obéit à cet autre, comme à nous-mêmes, plus qu'à nous-mêmes.

Ah! qui comprendra mon angoisse abominable! Qui comprendra l'émotion d'un homme, sain d'esprit, bien
30 éveillé, plein de raison et qui regarde épouvanté, à travers le verre d'une carafe, un peu d'eau disparue pendant qu'il a dormi! Et je restai là jusqu'au jour, sans oser regarder mon lit.

6 *juillet*. — Je deviens fou. On a encore bu toute ma
35 carafe cette nuit: ou plutôt, je l'ai bue!

Mais, est-ce moi? Est-ce moi? Qui serait-ce? Qui? Oh! Mon Dieu! Je deviens fou! Qui me sauvera?

10 *juillet*. — Je viens de faire des épreuves surprenantes. Décidément, je suis fou! Et pourtant!

Le 6 juillet, avant de me coucher, j'ai placé sur ma table du vin, du lait, de l'eau, du pain et des fraises.

On a bu — j'ai bu — toute l'eau, et un peu de lait. On n'a touché ni au vin, ni aux fraises.

Le 7 juillet, j'ai renouvelé la même épreuve, qui a donné le même résultat.

Le 8 juillet, j'ai supprimé l'eau et le lait. On n'a touché à rien.

Le 9 juillet enfin, j'ai remis sur ma table l'eau et le lait seulement en ayant soin d'envelopper les carafes en des linges de mousseline blanche et de ficeler les bouchons. Puis, j'ai frotté mes lèvres, ma barbe, mes mains avec de la mine de plomb, et je me suis couché.

L'invincible sommeil m'a saisi, suivi bientôt de l'atroce réveil. Je n'avais point remué; mes draps eux-mêmes ne portaient pas de taches. Je m'élançai vers ma table. Les linges enfermant les bouteilles étaient demeurés immaculés. Je déliai les cordons, en palpitant de crainte. On avait bu toute l'eau! on avait bu tout le lait! Ah! mon Dieu!...

Je vais partir tout à l'heure pour Paris.

. . . .

30 *juillet*. — Je suis revenu dans ma maison depuis hier. Tout va bien.

2 *août*. — Rien de nouveau; il fait un temps superbe. Je passe mes journées à regarder couler la Seine.

4 *août*. — Querelles parmi mes domestiques. Ils prétendent qu'on casse les verres, la nuit, dans les armoires. Le valet de chambre accuse la cuisinière, qui accuse la lingère, qui accuse les deux autres. Quel est le coupable? Bien fin qui le dirait![2]

6 *août*. — Cette fois, je ne suis pas fou. J'ai vu... j'ai vu... j'ai vu!... Je ne puis plus douter... j'ai vu!... J'ai encore

---

[2] **Bien fin qui le dirait.** Elliptical: "Celui qui pourrait le dire serait bien fin."

froid jusque dans les ongles... j'ai encore peur jusque dans les
moelles... j'ai vu !...

Je me promenais à deux heures, en plein soleil dans mon
parterre de rosiers... dans l'allée des rosiers d'automne qui
5 commencent à fleurir.

Comme je m'arrêtais à regarder un *géant des batailles*°, qui
portait trois fleurs magnifiques, je vis, je vis distinctement,
tout près de moi, la tige d'une de ces roses se plier, comme si
une main invisible l'eût tordue, puis se casser, comme si
10 cette main l'eût cueillie ! Puis la fleur s'éleva, suivant une
courbe qu'aurait décrite un bras en la portant vers une
bouche, et elle resta suspendue dans l'air transparent, toute
seule, immobile, effrayante tache rouge à trois pas de mes
yeux.

15 Éperdu, je me jetai sur elle pour la saisir ! Je ne trouvai
rien; elle avait disparu. Alors je fus pris d'une colère
furieuse contre moi-même; car il n'est pas permis à un
homme raisonnable et sérieux d'avoir de pareilles hallucinations.

20 Mais était-ce bien une hallucination? Je me retournai
pour chercher la tige, et je la retrouvai immédiatement sur
l'arbuste, fraîchement brisée, entre les deux autres roses
demeurées à la branche.

Alors, je rentrai chez moi l'âme bouleversée, car je suis
25 certain, maintenant, certain comme de l'alternance des jours
et des nuits, qu'il existe près de moi un être invisible, qui se
nourrit de lait et d'eau, qui peut toucher aux choses, les
prendre et les changer de place, doué par conséquent d'une
nature matérielle, bien qu'imperceptible par nos sens, et qui
30 habite comme moi, sous mon toit...

7 août. — J'ai dormi tranquille. Il a bu l'eau de ma
carafe, mais n'a point troublé mon sommeil.

. . . .

8 août. — J'ai passé hier une affreuse soirée. Il ne se
35 manifeste plus, mais je le sens près de moi, m'épiant, me
regardant, me pénétrant, me dominant et plus redoutable, en
se cachant ainsi, que s'il signalait par des phénomènes
surnaturels sa présence invisible et constante.

J'ai dormi pourtant.

9 *août*. — Rien, mais j'ai peur.

10 *août*. — Rien; qu'arrivera-t-il demain?

11 *août*. — Toujours rien; je ne puis plus rester chez moi avec cette crainte et cette pensée entrées en mon âme; je vais partir.

12 *août*, 10 heures du soir. — Tout le jour j'ai voulu m'en aller; je n'ai pas pu. J'ai voulu accomplir cet acte de liberté si facile, si simple, — sortir — monter dans ma voiture pour gagner Rouen — je n'ai pas pu. Pourquoi?

13 *août*. — Quand on est atteint par certaines maladies, tous les ressorts de l'être physique semblent brisés, toutes les énergies anéanties, tous les muscles relâchés, les os devenus mous comme la chair et la chair liquide comme de l'eau. J'éprouve cela dans mon être moral d'une façon étrange et désolante. Je n'ai plus aucune force, aucun courage, aucune domination sur moi, aucun pouvoir même de mettre en mouvement ma volonté. Je ne peux plus vouloir; mais quelqu'un veut pour moi; et j'obéis.

14 *août*. — Je suis perdu! Quelqu'un possède mon âme et la gouverne! quelqu'un possède mon âme et la gouverne! quelqu'un ordonne tous mes actes, tous mes mouvements, toutes mes pensées. Je ne suis plus rien en moi, rien qu'un spectateur esclave et terrifié de toutes les choses que j'accomplis. Je désire sortir. Je ne peux pas. Il ne veut pas; et je reste, éperdu, tremblant, dans le fauteuil où il me tient assis. Je désire seulement me lever, me soulever, afin de me croire maître de moi. Je ne peux pas! Je suis rivé à mon siège; et mon siège adhère au sol, de telle sorte qu'aucune force ne nous soulèverait.

Puis, tout d'un coup, il faut, il faut, il faut que j'aille au fond de mon jardin cueillir des fraises et les manger. Et j'y vais. Je cueille des fraises et je les mange! Oh! mon Dieu! Mon Dieu! Mon Dieu! Est-il un Dieu! S'il en est un, délivrez-moi! sauvez-moi! secourez-moi! Pardon! Pitié! Grâce! Sauvez-moi! Oh! quelle souffrance! quelle torture! quelle horreur!

15 *août*. — Est-ce que le monde va finir?

Mais celui qui me gouverne, quel est-il, cet invisible? cet inconnaissable, ce rôdeur d'une race surnaturelle?

Donc les Invisibles existent! Alors, comment depuis l'origine du monde ne se sont-ils pas encore manifestés d'une façon précise comme ils le font pour moi? Je n'ai jamais rien lu qui ressemble à ce qui s'est passé dans ma demeure. Oh! si je pouvais la quitter, si je pouvais m'en aller, fuir et ne pas revenir! Je serais sauvé, mais je ne peux pas.

16 *août*. — J'ai pu m'échapper aujourd'hui pendant deux heures, comme un prisonnier qui trouve ouverte, par hasard, la porte de son cachot. J'ai senti que j'étais libre tout à coup et qu'il était loin. J'ai ordonné d'atteler bien vite et j'ai gagné Rouen. Oh! quelle joie de pouvoir dire à un homme qui obéit: «Allez à Rouen!»

Je me suis fait arrêter devant la bibliothèque et j'ai prié qu'on me prêtât le grand traité du docteur Hermann Herestauss° sur les habitants inconnus du monde antique et moderne.

Puis, au moment de remonter dans mon coupé, j'ai voulu dire: «A la gare!» et j'ai crié — je n'ai pas dit, j'ai crié — d'une voix si forte que les passants se sont retournés: «A la maison,» et je suis tombé, affolé d'angoisse, sur le coussin de ma voiture. Il m'avait retrouvé et repris.

17 *août*. — Ah! Quelle nuit! quelle nuit! Et pourtant il me semble que je devrais me réjouir. Jusqu'à une heure du matin, j'ai lu! Hermann Herestauss, docteur en philosophie et en théogonie, a écrit l'histoire et les manifestations de tous les êtres invisibles rôdant autour de l'homme ou rêvés par lui. Il décrit leurs origines, leur domaine, leur puissance. Mais aucun d'eux ne ressemble à celui qui me hante. On dirait que l'homme, depuis qu'il pense, a pressenti et redouté un être nouveau, plus fort que lui, son successeur en ce monde, et que, le sentant proche et ne pouvant prévoir la nature de ce maître, il a créé, dans sa terreur, tout le peuple fantastique des êtres occultes, fantômes vagues nés de la peur.

Donc, ayant lu jusqu'à une heure du matin, j'ai été [3] m'asseoir ensuite auprès de ma fenêtre ouverte pour rafraîchir mon front et ma pensée au vent calme de l'obscurité.

Il faisait bon, il faisait tiède.[4] Comme j'aurais aimé cette 5 nuit-là autrefois!

Pas de lune. Les étoiles avaient au fond du ciel noir des scintillements frémissants. Qui habite ces mondes? Quelles formes, quels vivants, quels animaux, quelles plantes sont là-bas? Ceux qui pensent dans ces univers lointains, 10 que savent-ils plus que nous? Que peuvent-ils plus que nous? Que voient-ils que nous ne connaissons point? Un d'eux, un jour ou l'autre, traversant l'espace, n'apparaîtra-t-il pas sur notre terre pour la conquérir, comme les Normands° jadis traversaient la mer pour asservir des peuples plus 15 faibles?

Nous sommes si infirmes, si désarmés, si ignorants, si petits, nous autres,[5] sur ce grain de boue qui tourne délayé dans une goutte d'eau.

Je m'assoupis en rêvant ainsi au vent frais du soir. 20

Or, ayant dormi environ quarante minutes, je rouvris les yeux sans faire un mouvement, réveillé par je ne sais quelle [6] émotion confuse et bizarre. Je ne vis rien d'abord, puis, tout à coup, il me sembla qu'une page du livre resté ouvert sur ma table venait de tourner toute seule. Aucun souffle 25 d'air n'était entré par ma fenêtre. Je fus surpris et j'attendis. Au bout de quatre minutes environ, je vis, je vis, oui, je vis de mes yeux une autre page se soulever et se rabattre sur la précédente, comme si un doigt l'eût feuilletée. Mon fauteuil était vide, semblait vide; mais je compris qu'il 30 était là, lui, assis à ma place, et qu'il lisait. D'un bond furieux, d'un bond de bête révoltée, qui va éventrer son

---

[3] j'ai été. Often *être* may be used with the force of *aller*, always in the past; here " had gone."

[4] Il faisait bon, il faisait tiède, " the weather was pleasant."

[5] nous autres. Disregard autres; see note 15, page 22.

[6] je ne sais quelle. See note 31, page 62.

dompteur, je traversai ma chambre pour le saisir, pour
l'étreindre, pour le tuer!... Mais mon siège, avant que je
l'eusse atteint, se renversa comme si on eût fui devant moi...
ma table oscilla, ma lampe tomba et s'éteignit, et ma fenêtre
5 se ferma comme si un malfaiteur surpris se fût élancé dans
la nuit, en prenant à pleines mains les battants.

Donc, il s'était sauvé; il avait eu peur, peur de moi, lui!

Alors... alors... demain... ou après..., ou un jour quelconque..., je pourrai donc le tenir sous mes poings et
10 l'écraser contre le sol!   Est-ce que les chiens, quelquefois, ne
mordent point et n'étranglent pas leurs maîtres?

18 *août*. — J'ai songé toute la journée.   Oh! oui, je vais
lui obéir, suivre ses impulsions, accomplir toutes ses volontés,
me faire humble, soumis, lâche.   Il est le plus fort.   Mais
15 une heure viendra...

19 *août*. — Je sais... je sais... je sais tout!   Je viens de lire
ceci dans la *Revue du Monde Scientifique*°:

«Une nouvelle assez curieuse nous arrive de Rio de
Janeiro.   Une folie, une épidémie de folie, comparable aux
20 démences contagieuses qui atteignirent les peuples d'Europe
au moyen âge, sévit en ce moment dans la province de San-
Paulo°.   Les habitants éperdus quittent leurs maisons,
désertent leurs villages, abandonnent leurs cultures, se
disant poursuivis, possédés, gouvernés, comme un bétail
25 humain par des êtres invisibles bien que tangibles, des sortes
de vampires qui se nourrissent de leur vie pendant leur
sommeil, et qui boivent en outre de l'eau et du lait sans
paraître toucher à aucun autre aliment.

«M. le professeur Don Pedro Henriquez, accompagné de
30 plusieurs savants médecins, est parti pour la province de
San-Paulo, afin d'étudier sur place les origines et les
manifestations de cette surprenante folie, et de proposer à
l'Empereur° les mesures qui lui paraîtront le plus propres à
rappeler à la raison ces populations en délire.»

35 Ah! Ah! je me rappelle, je me rappelle le beau trois-mâts
brésilien qui passa sous mes fenêtres en remontant la Seine,
le 8 mai dernier!   Je le trouvai si joli, si blanc, si gai!

L'Être était dessus, venant de là-bas, où sa race était née!
Et il m'a vu! Il a vu ma demeure blanche aussi; et il a
sauté du navire sur la rive.   Oh! mon Dieu!

A présent, je sais, je devine.   Le règne de l'homme est fini.

Il est venu, Celui que redoutaient les premières terreurs   5
des peuples naïfs, Celui qu'exorcisaient les prêtres inquiets,
que les sorciers évoquaient par les nuits sombres, sans le voir
apparaître encore, à qui les pressentiments des maîtres
passagers du monde prêtèrent toutes les formes monstru-
euses ou gracieuses des gnomes, des esprits, des génies, des   10
fées, des farfadets.   Après les grossières conceptions de
l'épouvante primitive, des hommes plus perspicaces l'ont
pressenti plus clairement.   Mesmer° l'avait deviné, et les
médecins, depuis dix ans déjà, ont découvert d'une façon
précise, la nature de sa puissance avant qu'il l'eût exercée   15
lui-même.   Ils ont joué avec cette arme du Seigneur
nouveau, la domination d'un mystérieux vouloir sur l'âme
humaine devenue esclave.   Ils ont appelé cela magnétisme,
hypnotisme, suggestion... que sais-je[7]?   Je les ai vus
s'amuser comme des enfants imprudents avec cette horrible   20
puissance!   Malheur à nous!   Malheur à l'homme!   Il est
venu, le... le... comment se nomme-t-il... le... il me semble
qu'il me crie son nom, et je ne l'entends pas... le... oui... il le
crie... J'écoute... je ne peux pas... répète... le... Horla... J'ai
entendu... le Horla... c'est lui... le Horla... il est venu!...   25

Ah! le vautour a mangé la colombe, le loup a mangé le
mouton; le lion a dévoré le buffle aux cornes aiguës; l'homme
a tué le lion avec la flèche, avec le glaive, avec la poudre;
mais le Horla va faire de l'homme ce que nous avons fait du
cheval et du bœuf: sa chose, son serviteur et sa nourriture,   30
par la seule puissance de sa volonté.   Malheur à nous!

Pourtant, l'animal, quelquefois, se révolte et tue celui qui
l'a dompté... moi aussi, je veux... je pourrai... mais il faut le
connaître, le toucher, le voir!   Les savants disent que l'œil
de la bête, différent du nôtre, ne distingue point comme le   35

---

[7] que sais-je, "or some such name"; not so literal as "what do I
know about it?"

nôtre... Et mon œil à moi ne peut distinguer le nouveau venu qui m'opprime.

Pourquoi! Oh! je me rappelle à présent les paroles du moine du mont Saint-Michel°: «Est-ce que nous voyons la
5 cent-millième partie de ce qui existe? Tenez; [8] voici le vent qui est la plus grande force de la nature, qui renverse les hommes, abat les édifices, déracine les arbres, soulève la mer en montagnes d'eau, détruit les falaises et jette aux brisants les grands navires, le vent qui tue, qui siffle, qui
10 gémit, qui mugit, l'avez-vous vu et pouvez-vous le voir? Il existe, pourtant!»

Et je songeais encore: mon œil est si faible, si imparfait, qu'il ne distingue même point les corps durs, s'ils sont transparents comme le verre!... Qu'une glace sans tain barre
15 mon chemin, il me jette dessus comme l'oiseau entré dans une chambre se casse la tête aux vitres. Mille choses en outre le trompent et l'égarent. Quoi d'étonnant, alors, à ce qu'il ne sache point apercevoir un corps nouveau que la lumière traverse.

20 Un être nouveau! pourquoi pas? Il devait venir assurément! pourquoi serions-nous les derniers? Nous ne le distinguons point, ainsi que tous les autres créés avant nous? C'est que sa nature est plus parfaite, son corps plus fin et plus fini que le nôtre, que le nôtre si faible, si maladroite-
25 ment conçu, encombré d'organes toujours fatigués, toujours forcés comme des ressorts trop complexes, que le nôtre, qui vit comme une plante et comme une bête, en se nourrissant péniblement d'air, d'herbe et de viande, machine animale en proie aux maladies, aux déformations, aux putréfactions,
30 poussive, mal réglée, naïve et bizarre, ingénieusement mal faite, œuvre grossière et délicate, ébauche d'être qui pourrait devenir intelligent et superbe.

Nous sommes quelques-uns, si peu sur ce monde, depuis l'huître jusqu'à l'homme. Pourquoi pas un de plus, une
35 fois accomplie la période qui sépare les apparitions successives de toutes les espèces diverses?

---

[8] **Tenez,** " Look " or " Here." Equivalent to the Biblical " Behold."

Pourquoi pas un de plus? Pourquoi pas aussi d'autres arbres aux fleurs immenses, éclatantes et parfumant des régions entières? Pourquoi pas d'autres éléments que le feu, l'air, la terre et l'eau? — Ils sont quatre, rien que quatre, ces pères nourriciers des êtres! Quelle pitié! 5 Pourquoi ne sont-ils pas quarante, quatre cents, quatre mille! Comme tout est pauvre, mesquin, misérable! avarement donné, sèchement inventé, lourdement fait! Ah! l'éléphant, l'hippopotame, que de grâce [9]! Le chameau, que d'élégance! 10

Mais direz-vous, le papillon! une fleur qui vole! J'en rêve un qui serait grand comme cent univers, avec des ailes dont je ne puis même expérimenter la forme, la beauté, la couleur et le mouvement. Mais je le vois... il va d'étoile en étoile, les rafraîchissant et les embaumant au souffle harmo- 15 nieux et léger de sa course!... Et les peuples de là-haut le regardent passer, extasiés et ravis!

. . . .

Qu'ai-je donc? C'est lui, lui, le Horla, qui me hante, qui me fait penser ces folies! Il est en moi, il devient mon âme; 20 je le tuerai!

19 *août.* — Je le tuerai. Je l'ai vu! je me suis assis hier soir, à ma table; et je fis semblant d'écrire avec une grande attention. Je savais bien qu'il viendrait rôder autour de moi, tout près, si près que je pourrais peut-être le toucher, le 25 saisir. Et alors! alors, j'aurais la force des désespérés; j'aurais mes mains, mes genoux, ma poitrine, mon front, mes dents pour l'étrangler, l'écraser, le mordre, le déchirer.

Et je le guettais avec tous mes organes surexcités.

J'avais allumé mes deux lampes et les huit bougies de ma 30 cheminée, comme si j'eusse pu, dans cette clarté, le découvrir.

En face de moi, mon lit, un vieux lit de chêne à colonnes; à droite, ma cheminée; à gauche, ma porte fermée avec soin, après l'avoir laissée longtemps ouverte, afin de l'attirer; 35

---

[9] que de grâce. Exclamation of admiration, here ironic, "what grace!"

derrière moi, une très haute armoire à glace, qui me servait chaque jour pour me raser, pour m'habiller, et où j'avais coutume de me regarder, de la tête aux pieds, chaque fois que je passais devant.

5 Donc, je faisais semblant d'écrire, pour le tromper, car il m'épiait lui aussi; et soudain, je sentis, je fus certain qu'il lisait par-dessus mon épaule, qu'il était là, frôlant mon oreille.

Je me dressai, les mains tendues, en me tournant si vite 10 que je faillis tomber. Eh! bien?... on y voyait comme en plein jour, et je ne me vis pas dans ma glace!... Elle était vide, claire, profonde, pleine de lumière! Mon image n'était pas dedans... et j'étais en face, moi! Je voyais le grand verre limpide du haut en bas. Et je regardais cela 15 avec des yeux affolés; et je n'osais plus avancer, je n'osais plus faire un mouvement, sentant bien pourtant qu'il était là, mais qu'il m'échapperait encore, lui dont le corps imperceptible avait dévoré mon reflet.

Comme j'eus peur! Puis voilà que tout à coup je com- 20 mençai à m'apercevoir dans une brume, au fond du miroir, dans une brume comme à travers une nappe d'eau; et il me semblait que cette eau glissait de gauche à droite, lentement, rendant plus précise mon image, de seconde en seconde. C'était comme la fin d'une éclipse. Ce qui me cachait ne 25 paraissait point posséder de contours nettement arrêtés, mais une sorte de transparence opaque, s'éclaircissant peu à peu.

Je pus enfin me distinguer complètement, ainsi que je le fais chaque jour en me regardant.

30 Je l'avais vu! L'épouvante m'en est restée, qui me fait encore frissonner.

20 *août*. — Le tuer, comment? puisque je ne peux l'atteindre? Le poison? mais il me verrait le mêler à l'eau; et nos poisons, d'ailleurs, auraient-ils un effet sur son corps 35 imperceptible? Non... non... sans aucun doute... Alors?... alors?...

21 *août*. — J'ai fait venir un serrurier de Rouen, et lui ai commandé pour ma chambre des persiennes de fer, comme

en ont, à Paris, certains hôtels particuliers, au rez-de-chaussée, par crainte des voleurs. Il me fera, en outre, une porte pareille. Je me suis donné pour un poltron, mais je m'en moque !...

. . . . 5

10 *septembre*. — Rouen, hôtel Continental. C'est fait... mais est-il mort? J'ai l'âme bouleversée de ce que j'ai vu.

Hier donc, le serrurier ayant posé ma persienne et ma porte de fer, j'ai laissé tout ouvert jusqu'à minuit, bien qu'il commençât à faire froid. 10

Tout à coup, j'ai senti qu'il était là, et une joie, une joie folle m'a saisi. Je me suis levé lentement et j'ai marché à droite, à gauche, longtemps pour qu'il ne devinât rien; puis j'ai ôté mes bottines et mis mes savates avec négligence; puis j'ai fermé ma persienne de fer, et revenant à pas 15 tranquilles vers la porte, j'ai fermé la porte aussi à double tour. Retournant alors vers la fenêtre, je la fixai par un cadenas, dont je mis la clef dans ma poche.

Tout à coup, je compris qu'il s'agitait autour de moi, qu'il avait peur à son tour, qu'il m'ordonnait de lui ouvrir. Je 20 faillis céder; je ne cédai pas, mais m'adossant à la porte, je l'entrebâillai, tout juste assez pour passer, moi, à reculons; et comme je suis très grand ma tête touchait au linteau. J'étais sûr qu'il n'avait pu s'échapper et je l'enfermai, tout seul, tout seul. Quelle joie! Je le tenais! Alors, je 25 descendis, en courant; je pris dans mon salon, sous ma chambre, mes deux lampes et je renversai toute l'huile sur le tapis, sur les meubles, partout; puis j'y mis le feu, et je me sauvai, après avoir bien refermé, à double tour, la grande porte d'entrée. 30

Et j'allai me cacher au fond de mon jardin, dans un massif de lauriers. Comme ce fut long! comme ce fut long! Tout était noir, muet, immobile; pas un souffle d'air, pas une étoile, des montagnes de nuages qu'on ne voyait point, mais qui pesaient sur mon âme si lourds, si lourds.[10] 35

---

[10] si lourds, si lourds. Such a repetition for emphasis is possible in French. In English "very" is almost alone in such a use. Say "so very, very heavily."

Je regardais ma maison, et j'attendais.   Comme ce fut long!   Je croyais déjà que le feu s'était éteint tout seul, ou qu'il l'avait éteint, Lui, quand une des fenêtres d'en bas creva sous la poussée de l'incendie, et une flamme, une
5   grande flamme rouge et jaune, longue, molle, caressante, monta le long du mur blanc et le baisa jusqu'au toit.   Une lueur courut dans les arbres, dans les branches, dans les feuilles, et un frisson, un frisson de peur aussi.   Les oiseaux se réveillaient; un chien se mit à hurler; il me sembla que le
10   jour se levait!   Deux autres fenêtres éclatèrent aussitôt, et je vis que tout le bas de ma demeure n'était plus qu'un effrayant brasier.   Mais un cri, un cri horrible, suraigu, déchirant, un cri de femme passa dans la nuit, et deux mansardes s'ouvrirent!   J'avais oublié mes domestiques!
15   Je vis leurs faces affolées, et leurs bras qui s'agitaient!...

Alors, éperdu d'horreur, je me mis à courir vers le village en hurlant: «Au secours! au secours! au feu! au feu!»   Je rencontrai des gens qui s'en venaient déjà et je retournai avec eux, pour voir.

20   La maison, maintenant, n'était plus qu'un bûcher horrible et magnifique, un bûcher monstrueux, éclairant toute la terre, un bûcher où brûlaient des hommes, et où il brûlait aussi, Lui, Lui, mon prisonnier, l'Être nouveau, le nouveau maître, le Horla!

25   Soudain le toit tout entier s'engloutit entre les murs et un volcan de flammes jaillit jusqu'au ciel.

Par toutes les fenêtres ouvertes sur la fournaise, je voyais la cuve de feu, et je pensais qu'il était là, dans ce four, mort...

—Mort?   Peut-être?...   Son corps? son corps que le jour
30   traversait, n'était-il pas indestructible par les moyens qui tuent les nôtres?

S'il n'était pas mort [11]?...   seul peut-être le temps a prise sur l'Être Invisible et Redoutable.   Pourquoi ce corps transparent, ce corps inconnaissable, ce corps d'Esprit, s'il devait
35   craindre, lui aussi, les maux, les blessures, les infirmités, la destruction prématurée?

---

[11] S'il...   In such an elliptical clause si has the force of "*Suppose!*"

La destruction prématurée? toute l'épouvante humaine vient d'elle! Après l'homme, le Horla. — Après celui qui peut mourir tous les jours, à toutes les heures, à toutes les minutes, par tous les accidents, est venu celui qui ne doit mourir qu'à son jour, à son heure, à sa minute, parce qu'il a touché la limite de son existence! 5

Non... non... sans aucun doute, sans aucun doute... il n'est pas mort... Alors... alors... il va donc falloir que je me tue, moi!

. . . .

LA TORTURE PAR L'ESPÉRANCE

By Permission of Mercure de France.

LA TORTURE PAR L'ESPÉRANCE

> —Oh! une voix, une voix, pour crier!...
> EDGAR POE (*Le Puits et le Pendule*).

Sous les caveaux de l'Official° de Sarragosse°, au tomber
d'un soir de jadis, le vénérable Pedro Arbuez d'Espila°,
sixième prieur des dominicains de Ségovie°, troisième Grand-
Inquisiteur d'Espagne° — suivi d'un *fra* redemptor (maître-
tortionnaire) et précédé de deux familiers du Saint-Office°,   5
ceux-ci tenant des lanternes, descendit vers un cachot perdu.
La serrure d'une porte massive grinça: on pénétra dans un
méphitique *in-pace*°, où le jour de souffrance d'en haut
laissait entrevoir entre des anneaux scellés aux murs, un
chevalet noirci de sang, un réchaud, une cruche.   Sur une   10
litière de fumier, et maintenu par des entraves, le carcan de
fer au cou, se trouvait assis, hagard, un homme en haillons,
d'un âge désormais indistinct.

Ce prisonnier n'était autre que rabbi Aser Abarbanel, juif
aragonais, qui — prévenu d'usure et d'impitoyable dédain   15
des Pauvres° — avait, depuis plus d'une année, été, quotidiennement, soumis à la torture.   Toutefois, son «aveuglement étant aussi dur que son cuir», il s'était refusé à
l'abjuration.

Fier d'une filiation plusieurs fois millénaire, orgueilleux de   20
ses antiques ancêtres, — car tous les Juifs dignes de ce nom
sont jaloux de leur sang, — il descendait, talmudiquement,
d'Othoniel°, et, par conséquent, d'Ipsiboë, femme de ce
dernier Juge d'Israël: circonstance qui avait aussi soutenu
son courage au plus fort des incessants supplices.   25

Ce fut donc les yeux en pleurs, en songeant que cette âme
si ferme s'excluait du salut, que le vénérable Pedro Arbuez
d'Espila, s'étant approché du rabbin° frémissant, prononça
les paroles suivantes:

—Mon fils, réjouissez-vous: voici que vos épreuves d'ici-
bas vont prendre fin.   Si, en présence de tant d'obstination,
j'ai dû permettre, en gémissant, d'employer bien des
rigueurs, ma tâche de correction fraternelle a ses limites.
5 Vous êtes le figuier rétif qui, trouvé tant de fois sans fruit,
encourt d'être séché... mais c'est à Dieu seul de statuer sur
votre âme.   Peut-être l'infinie Clémence luira-t-elle [1] pour
vous au suprême instant!   Nous devons l'espérer! [2]   Il
est [3] des exemples... Ainsi soit! — Reposez donc, ce soir, en
10 paix.   Vous ferez partie, demain, de l'*auto da fé°*: c'est-à-
dire que vous serez exposé au *quemadero°*, brasier prémonitoire de l'éternelle Flamme: il ne brûle, vous le [4] savez, qu'à
distance, mon fils, et la Mort met au moins deux heures
(souvent trois) à venir, à cause des langes mouillés et glacés
15 dont nous avons soin de préserver le front et le cœur des
holocaustes.   Vous serez [5] quarante-trois seulement.   Con-
sidérez que, placé au dernier rang, vous aurez le temps
nécessaire pour invoquer Dieu, pour lui offrir ce baptême du
feu qui est de l'Esprit-Saint.   Espérez donc en La Lumière
20 et dormez.

En achevant ce discours, dom° Arbuez ayant, d'un signe,
fait désenchaîner le malheureux, l'embrassa tendrement.
Puis, ce fut le tour du *fra* redemptor, qui, tout bas, pria le
juif de lui pardonner ce qu'il lui avait fait subir en vue de le
25 rédimer; — puis l'accolèrent les deux familiers, dont le
baiser, à travers leurs cagoules, fut silencieux.   La céré-
monie terminée, le captif fut laissé, seul et interdit, dans les
ténèbres.

Rabbi Aser Abarbanel, la bouche sèche, le visage hébété de
30 souffrance, considéra d'abord sans attention précise, la porte

---

[1] **luira-t-elle.**   Inverted word-order after *Peut-être.*

[2] **l'.**   Pleonastic use of the pronoun, referring to the preceding idea.
Say "We must hope so."

[3] **Il est.**   Used rhetorically for *il y a.*

[4] **le.**   Same as note 2 above; disregard here.

[5] **vous serez.**   "There will be only forty-three of you."

fermée. — «Fermée?...» Ce mot, tout au secret de lui-
même,[6] éveillait, en ses confuses pensées, une songerie.
C'est qu'il [7] avait entrevu, un instant, la lueur des lanternes
en la fissure d'entre les murailles de cette porte. Une
morbide idée d'espoir, due à l'affaissement de son cerveau, 5
émut son être. Il se traîna vers l'insolite *chose* apparue!
Et, bien doucement, glissant un doigt, avec de longues
précautions, dans l'entre-bâillement, il tira la porte vers lui...
O stupeur! par un hasard extraordinaire, le familier qui
l'avait refermée avait tourné la grosse clef un peu avant le 10
heurt contre les montants de pierre! De sorte que, le pène
rouillé n'étant pas entré dans l'écrou, la porte roula de
nouveau dans le réduit.

Le rabbin risqua un regard au dehors.

A la faveur d'une sorte d'obscurité livide, il distingua, tout 15
d'abord, un demi-cercle de murs terreux, troués par des
spirales de marches; — et, dominant, en face de lui, cinq ou
six degrés de pierre, une espèce de porche noir, donnant
accès en un vaste corridor, dont il n'était possible d'entrevoir, d'en bas, que les premiers arceaux.   20

S'allongeant donc, il rampa jusqu'au ras de ce seuil. —
Oui, c'était bien un corridor, mais d'une longueur démesurée!
Un jour blême, une lueur de rêve l'éclairait: des veilleuses,
suspendues aux voûtes, bleuissaient, par intervalles, la couleur terne de l'air: — le fond lointain n'était que de l'ombre. 25
Pas une porte, latéralement, en cette étendue! D'un seul
côté, à sa gauche, des soupiraux, aux grilles croisées, en des
enfoncées du mur, laissaient passer un crépuscule — qui
devait être celui du soir, à cause des rouges rayures qui
coupaient, de loin en loin, le dallage. Et quel effrayant 30
silence!... Pourtant, là-bas, au profond de ces brumes, une
issue pouvait donner sur la liberté! La vacillante espérance
du juif était tenace, car c'était la dernière.

Sans hésiter donc, il s'aventura sur les dalles, côtoyant la

---

[6] au secret de lui-même, " unknown to him."

[7] c'est qu'. This expression is meant quite often to mean " The fact
is that "; " The reason is that."

paroi des soupiraux, s'efforçant de se confondre avec la
ténébreuse teinte des longues murailles. Il avançait avec
lenteur, se traînant sur la poitrine — et se retenant de crier
lorsqu'une plaie, récemment avivée, le lancinait.

5   Soudain, le bruit d'une sandale qui s'approchait parvint
jusqu'à lui dans l'écho de cette allée de pierre. Un tremblement le secoua, l'anxiété l'étouffait; sa vue s'obscurcit.
Allons! [8] c'était fini, sans doute! Il se blottit, à croppetons,
dans un enfoncement, et, à demi-mort, attendit.

10   C'était un familier qui se hâtait. Il passa rapidement, un
arrache-muscles au poing, cagoule baissée, terrible, et
disparut. Le saisissement, dont le rabbin venait de subir
l'étreinte, ayant comme [9] suspendu les fonctions de la vie, il
demeura, près d'une heure, sans pouvoir effectuer un
15 mouvement. Dans la crainte d'un surcroît de tourments
s'il était repris, l'idée lui vint de retourner en son cachot.
Mais le vieil espoir lui chuchotait, dans l'âme, ce divin
Peut-être, qui réconforte dans les pires détresses! Un miracle
s'était produit! Il ne fallait plus douter! Il se remit donc
20 à ramper vers l'évasion possible. Exténué de souffrance et
de faim, tremblant d'angoisses, il avançait! — Et ce
sépulcral corridor semblait s'allonger mystérieusement! Et
lui, n'en finissant pas d'avancer, regardait toujours l'ombre,
là-bas, où *devait* être une issue salvatrice.

25   —Oh! oh! Voici que [10] des pas sonnèrent de nouveau,
mais cette fois, plus lents et plus sombres. Les formes
blanches et noires, aux [11] longs chapeaux à bords roulés, de
deux inquisiteurs, lui apparurent, émergeant sur l'air terne,
là-bas. Ils causaient à voix basse et paraissaient en
30 controverse sur un point important, car leurs mains
s'agitaient.

---

[8] **Allons.** Some such expression as "Well!" or "Oh, well!,"
showing resignation.

[9] **comme.** With the force of "as if."

[10] **Voici que.** "Now" or "Here come."

[11] **aux.** The preposition *à* introduces a descriptive quality with the
force of "with."

A cet aspect, rabbi Aser Abarbanel ferma les yeux: son
cœur battit à le tuer; ses haillons furent pénétrés d'une
froide sueur d'agonie; il resta béant, immobile, étendu le
long du mur, sous le rayon d'une veilleuse, immobile, implorant le Dieu de David.   5

Arrivés en face de lui, les deux inquisiteurs s'arrêtèrent
sous la lueur de la lampe, — ceci par un hasard sans doute
provenu de leur discussion. L'un d'eux, en écoutant son
interlocuteur, se trouva regarder le rabbin! Et, sous ce
regard dont il ne comprit pas d'abord l'expression distraite, 10
le malheureux croyait sentir les tenailles chaudes mordre
encore sa pauvre chair; il allait donc redevenir une plainte et
une plaie! Défaillant, ne pouvant respirer, les paupières
battantes, il frissonnait, sous l'effleurement de cette robe.
Mais, chose à la fois étrange et naturelle, les yeux de 15
l'inquisiteur étaient évidemment ceux d'un homme profondément préoccupé de ce qu'il va répondre, absorbé par
l'idée de ce qu'il écoute, ils étaient fixes — et semblaient
regarder le juif *sans le voir*!

En effet, au bout de quelques minutes, les deux sinistres 20
discuteurs continuèrent leur chemin, à pas lents, et toujours [12] causant à voix basse, vers le carrefour d'où le captif
était sorti; ON NE L'AVAIT PAS VU!... Si bien que, dans
l'horrible désarroi de ses sensations, celui-ci eut le cerveau
traversé par cette idée: «Serais-je [13] déjà mort, qu'on ne me 25
voit pas?» Une hideuse impression le tira de léthargie: en
considérant le mur, tout contre son visage, il crut voir, en
face des siens, deux yeux féroces qui l'observaient!... Il
rejeta la tête en arrière en une transe éperdue et brusque, les
cheveux dressés!... Mais non! non. Sa main venait de se 30
rendre compte, en tâtant les pierres: c'était le *reflet* des
yeux de l'inquisiteur qu'il avait encore dans les prunelles, et
qu'il avait réfracté sur deux taches de la muraille.

En marche! Il fallait se hâter vers ce but qu'il s'imagi-

---

[12] **toujours.** Not "always," but "still," or "continually."

[13] **Serais-je.** The conditional of probability, "Could it be that I
am . . ."

nait (maladivement sans doute) être la délivrance! vers ces
ombres dont il n'était plus distant que d'une trentaine de
pas, à peu près.   Il reprit donc, plus vite, sur les genoux, sur
les mains, sur le ventre, sa voie douloureuse; et bientôt il
5 entra dans la partie obscure de ce corridor effrayant.

Tout à coup, le misérable éprouva du froid *sur* ses mains
qu'il appuyait sur les dalles; cela provenait d'un violent
souffle d'air, glissant sous une petite porte à laquelle
aboutissaient les deux murs. — Ah! Dieu! si cette porte
10 s'ouvrait sur le dehors!   Tout l'être du lamentable évadé
eut comme un vertige d'espérance!   Il l'examinait, du haut en
bas, sans pouvoir bien la distinguer à cause de l'assombrissement autour de lui. — Il tâtait: point de verrous, ni de
serrure. — Un loquet!... Il se redressa: le loquet céda sous
15 son pouce; la silencieuse porte roula devant lui.

«—ALLELUIA!...» murmura, dans un immense soupir
d'actions de grâces, le rabbin, maintenant debout sur le
seuil, à la vue de ce qui lui apparaissait.

La porte s'était ouverte sur des jardins, sous une nuit
20 d'étoiles! sur le printemps, la liberté, la vie!   Cela donnait
sur la campagne prochaine, se prolongeant vers les sierras
dont les sinueuses lignes bleues se profilaient sur l'horizon;
— là, c'était le salut! — Oh! s'enfuir!   Il courrait toute la
nuit sous ces bois de citronniers dont les parfums lui
25 arrivaient.   Une fois dans les montagnes, il serait sauvé!
Il respirait le bon air sacré; le vent le ranimait, ses poumons
ressuscitaient!   Il entendait, en son cœur dilaté, le *Veni
foràs* de Lazare°!   Et, pour bénir encore le Dieu qui lui
accordait cette miséricorde, il étendit les bras devant lui, en
30 levant les yeux au firmament.   Ce fut une extase.

Alors, il crut voir l'ombre de ses bras se retourner sur lui-
même: il crut sentir que ces bras d'ombre l'entouraient,
l'enlaçaient, — et qu'il était pressé tendrement contre une
poitrine.   Une haute figure était, en effet, auprès de la
35 sienne.   Confiant, il abaissa le regard vers cette figure — et
demeura pantelant, affolé, l'œil morne, trémébond, gonflant
les joues et bavant d'épouvante.

— Horreur ! il était dans les bras du Grand-Inquisiteur lui-même, du vénérable Pedro Arbuez d'Espila, qui le considérait, de grosses larmes plein [14] les yeux, et d'un air de bon pasteur retrouvant sa brebis égarée !...

Le sombre prêtre pressait contre son cœur, avec un élan de charité si fervente, le malheureux juif, que les pointes du cilice monacal sarclèrent, sous le froc, la poitrine du dominicain. Et, pendant que rabbi Aser Abarbanel, les yeux révulsés sous les paupières, râlait d'angoisse entre les bras de l'ascétique dom Arbuez et comprenait confusément *que toutes les phases de la fatale soirée n'étaient qu'un supplice prévu,*[15] *celui de l'Espérance!*, le Grand-Inquisiteur, avec un accent de poignant reproche et le regard consterné, lui murmurait à l'oreille, d'une haleine brûlante et altérée par les jeûnes:

—Eh quoi, mon enfant ! A la veille, peut-être, du salut... vous vouliez donc nous quitter !

---

[14] **plein.** Invariable in this rhetorical word-order; literally, *les yeux pleins de grosses larmes.*

[15] **prévu,** " prearranged."

LES PHANTASMES DE M. REDOUX

By Permission of Mercure de France.

LES PHANTASMES DE M. REDOUX

Par un soir d'avril de ces dernières années, l'un des plus justement estimés citadins de Paris, M. Antoine Redoux, — ancien maire d'une localité du Centre°, — se trouvait à Londres, dans Baker-street.

Cinquantenaire[1] jovial, doué[1] d'embonpoint, nature[1] 5 «en dehors°,» mais esprit[1] pratique en affaires, ce digne chef de famille, véritable exemple social, n'échappait cependant pas plus que d'autres, lorsqu'il était seul et s'absorbait en soi-même°, à la hantise de certains phantasmes qui, parfois, surgissent dans les cervelles des plus 10 pondérés industriels. Ces cervelles, au dire des aliénistes, une fois hors des affaires, sont des mondes mystérieux, souvent même assez effrayants. Si donc il arrivait à M. Redoux, retiré en son cabinet, d'attarder son esprit en quelqu'une de ces songeries troubles[2] — dont il ne sonnait 15 mot[3] à personne, — la «lubie» parfois étrange, qu'il s'y laissait aller à choyer,[4] devenait bientôt despotique et tenace au point de le sommer de la *réaliser*. Maître de lui, toutefois, il savait la dissiper (avec un profond soupir!), lorsque la moindre incidence de la vie réelle venait, de son 20 heurt, le réveiller; — en sorte que ces morbides attaques ne tiraient guère à conséquence; — néanmoins, depuis long-

---

[1] **Cinquantenaire, doué, nature,** and **esprit.** These words are all in apposition with **chef de famille.** This appositive style is used frequently by Villiers de l'Isle-Adam.

[2] **troubles,** " of a doubtful character."

[3] **mot.** Nouns in such idioms are often used without articles or prepositions. *Ne sonner mot,* " not to breathe a word."

[4] **qu'il s'y laissait aller à choyer.** *Se laisser aller à* means " to abandon oneself to." *Que,* referring to **lubie,** is a relative pronoun, object of **choyer.** The preposition *à* is present both in **y** and before **choyer.** Therefore **y** is redundant and should be disregarded.

temps, en homme circonspect,[5] se méfiant d'un pareil
«faible», il avait dû s'astreindre au régime le plus sobre,
évitant les émotions qui pouvaient susciter en son cerveau le
surgir d'un *dada* quelconque. Il buvait peu, surtout!
5 crainte [6] d'être emporté, par l'ébriété, jusqu'à REALISER, en
effet, *alors*, telle de ces turlutaines subites dont il rougissait,
en secret, le lendemain.

Or, en cette soirée, M. Redoux, ayant, sans y prendre
garde, dîné fort bien, chez le négociant avec lequel il avait
10 conclu, au dessert, l'avantageuse affaire, objet de son
voyage d'outre-Manche, ne s'aperçut point des insidieuses
fumées du porto, du sherry, de l'ale et du champagne qui
altéraient,[7] maintenant, quelque peu,[8] la lucidité susceptible
de ses esprits.[9] Bien qu'il fût encore d'assez bonne heure, il
15 revenait [7] à l'hôtel, en son instinctive prudence, lorsqu'il se
sentit, soudainement, assailli par une brumeuse ondée. Et
il advint que le portail sous lequel il courut se réfugier, se
trouvant être celui du fameux musée Tussaud°, — ma foi,[10]
pour s'éviter un rhume, en un abri confortable, ainsi que par
20 curiosité, pour tuer le temps, l'ancien maire de la localité du
Centre, ayant jeté son cigare, monta l'escalier du salon de
cire.

Au seuil même de la longue salle où se tenait, dans une
équivoque immobilité, cette étrange assemblée de person-
25 nages fictifs, aux costumes disparates et chatoyants, la
plupart couronne en tête, sortes de massives gravures de
mode des siècles, Redoux tressaillit. Un objet lui était
apparu, tout au fond, sur l'estrade de la Chambre des

---

[5] **en homme circonspect.** The preposition **en** is sometimes used in
the sense of *comme* or *en qualité de.* (*Brachet et Dussouchet*, p. 426.)

[6] **crainte de,** "for fear of."

[7] **altéraient . . . revenait.** The imperfect tense in French can
express a progressive past action, "was (or were) + verb + -ing."

[8] **quelque peu.** Quelque is not common in this use, *un* being more
customary.

[9] **esprits.** In this case, it has more the idea of "senses" or "wits."

[10] **Ma foi,** "really," in the sense of the excuses M. Redoux might
have made afterward in the tone of "what else could I do?"

Horreurs et dominant toute la salle. C'était le vieil
instrument qui, d'après des documents à l'appui assez
sérieux, avait servi, en France, jadis, pour l'exécution du roi
Louis XVI: ce soir-là, seulement, la Direction [11] l'avait
extrait de la réserve comme nécessitant diverses réparations: 5
ses assises, par exemple, se faisant vermoulues.

A cette vue et mis au fait, par le programme, de la
provenance de l'appareil, l'excellent actualiste-libéral se
sentit disposé, pour le roi-martyr°, à quelque générosité
morale, — grâce à la bonne journée qu'il avait faite.[12] 10
Oui, toutes opinions de côté, prêt à blâmer tous les excès°, il
sentit son cœur s'émouvoir en faveur de l'auguste victime
évoquée par ce grave spécimen des choses de l'Histoire.   Et
comme en cette nature intelligente,[13] carrée, mais trop
impressionnable, les émotions s'approfondissaient vite, ce 15
fut [14] à peine s'il honora d'un coup d'œil vague et circulaire la
foule bigarrée d'or, de soie, de pourpre et de perles, des
personnages de cire.   Frappé par l'impression majeure de
cette guillotine, songeant au grand drame passé, il avisa,
naturellement, le socle où se dressait, dans une allée 20
latérale, l'approximative reproduction de Shakespeare°, et
s'assit, tout auprès, en [15] confrère, sur un banc.

Toute émotion rend expansives les natures exubérantes:
l'ancien maire de la localité du Centre, s'apercevant donc
qu'un de ses voisins (français, à son estime, et selon toute 25
apparence) paraissait aussi se recueillir, se tourna vers ce
probable compatriote et, d'un ton dolent, laissa tomber —
pour tâter, comme on dit, le terrain — quelques idées
ternes touchant «l'impression PRESQUE° triste que [16] causait
cette sinistre machine, *à quelque opinion que l'on appartînt*°.» 30
Mais, ayant regardé avec attention son interlocuteur,

---

[11] **Direction.**   Note the use of the capital: " the Management."

[12] **faite.**   Refers to **journée** in the sense of a day's business transacted.

[13] **intelligente,** " quick," " sharp."

[14] **ce fut . . . s'il,** " he scarcely honored " . . . If he did at all, it
was " scarcely."

[15] **en.**   See note 5, page 110.

[16] **que.**   The object of **causait**; look out for inverted relative clauses.

l'excellent homme s'arrêta court, un peu vexé: il venait de
constater qu'il parlait, depuis deux minutes, à l'un de ces
passants *trompe-l'œil*, si difficiles à distinguer des autres, et
que MM. les directeurs des musées de cire se permettent, par
5 malice, d'asseoir sur les banquettes destinées aux vivants°.

A ce moment, l'on prévenait, à haute voix, de la fermeture.
Les lustres rapidement s'éteignaient, et de derniers curieux,
en se retirant comme à regret, jetaient des regards sommaires
sur leur fantasmagorique entourage, s'efforçant d'en résumer
10 ainsi l'aspect général.

Toutefois, son expansion rentrée,[17] mêlée d'excitation
morbide, avait transformé, de son choc intime, la première
impression, déjà malsaine, en une «lubie» d'une intensité
insolite, — une sorte de très sombre marotte,[18] qui agita ses
15 grelots, tout à coup, sous son crâne, et à laquelle il n'eut
même pas l'idée de résister.

«Oh! songeait-il, se jouer à soi-même (sans danger, bien
entendu!) les sensations terribles, — terribles! qu'[19]avait
dû [20] éprouver, devant cette planche fatale, le bon roi Louis
20 XVI!... Se figurer l'être! Réentendre, en imagination, le
roulement de tambours et la phrase de l'abbé Edgeworth de
Firmont°! Puis, épancher son besoin de générosité morale
en se donnant le luxe de plaindre — (mais, là,[21] sincère-
ment!... toutes opinions à part!) — ce digne père de famille,
25 cet homme trop bon, trop généreux, cet homme, enfin, si
bien doué de toutes les qualités que lui, Redoux, se reconnaissait avoir! Quelles nobles minutes à passer! [22] Quelles

---

[17] **rentrée,** "kept within himself," "secret."

[18] **marotte.** Villiers is ironically literal here in connection with **grelots** in the following clause.

[19] **qu'.** The object pronoun; **roi** is the subject.

[20] **avait dû.** The imperfect and pluperfect in literary style have the
force of "must have," expressed in conversation by the past indefinite,
a dû.

[21] **là.** Here an interjection, "now then!" or "wait a minute!"
Another ironic nudge by Villiers on this difference of political opinions:
should this *actualiste-libéral* pity a beheaded king!!

[22] **à passer.** The preposition **à** may introduce an infinitive with the
force of the passive; say "to be passed."

douces larmes à répandre!... — Oui, mais, pour cela, il
s'agissait de pouvoir être seul, devant cette guillotine!...
Alors, en secret, sans être vu de personne, on [23] se livrerait,
en toute liberté, à ce soliloque si *flatteusement* émouvant! —
Comment faire?... comment faire?...»   5

Tel était l'étrange *dada* qu'enfourchait, troublé par les
fumées des vins de France et d'Espagne, l'esprit, un peu
fiévreux déjà, de l'honorable M. Redoux. Il considérait
l'extrémité des montants, recouverte, ce soir-là, d'une petite
housse qui dérobait la vue du couteau, — sans doute pour ne 10
point choquer les personnes trop sensibles qui n'eussent [24]
pas tenu à le voir. Et, comme la lubie, cette fois, *voulait*
être réalisée, une ruse lumineuse, surgie de la difficulté à
vaincre, éclaira soudain l'entendement de M. Redoux:

—Bravo! c'est cela[25]!... murmura-t-il. — Ensuite, d'un 15
appel, en allant cogner à la porte, je saurai bien me faire
ouvrir.[26] J'ai mes allumettes; un bec de gaz, lueur tragique!
me suffira... Je dirai que je me suis endormi. Je donnerai
une demi-guinée° au garçon: ça vaudra bien ça.

La salle était déjà crépusculaire: un fanal d'ouvriers 20
brillait seul, sur l'estrade, là-bas, — ceux-ci devant [27] arriver
au petit jour.[28] Des paillons, des cristaux, des soieries

---

[23] **on.** The **on** is M. Redoux himself.

[24] **eussent tenu.** A subjunctive in a relative clause modifying a
vague, indefinite antecedent, some one not yet encountered; a contrary-
to-fact idea may be shown by the English "might."

[25] **c'est cela,** "That's it!"; "I've got it!"

[26] **saurai . . . me faire ouvrir.** "I can get some one to let me out;"
see note 35, page 38, for use of *savoir* like *pouvoir*. **Faire** is used
in a causative sense with a following infinitive with the meaning
"to have." Here the agent is omitted and the object of **ouvrir** (**porte**)
is understood; **me** is the indirect object of **ouvrir**. The complete literal
thought is "I shall know how to have (some one) open (the door) for
me."

[27] **devant.** The present participle of *devoir*, "being due" to arrive,
etc. *Devoir* in the present and imperfect tenses may mean "am to" or
"was to" in the sense of something scheduled to take place.

[28] **petit jour.** The time when the day is "small" is, of course,
"daybreak" or "dawn."

jetaient des lueurs... Plus personne, sinon le garçon de fermeture qui s'avançait dans l'allée du Shakespeare. Se
tournant donc vers son *voisin*, M. Redoux prit, subitement,
une pose immobile; son geste offrait une prise; son chapeau,
5 de bords larges, ses mains rougeaudes, sa figure enluminée,
ses yeux mi-clos et fixes, les plis de sa longue redingote,
toute sa personne roidie, ne respirant plus, sembla, elle [29]
aussi, et à s'y méprendre,[30] celle d'un faux-passant. Si bien
que, dans la presque totale obscurité, le garçon du musée, en
10 passant près de M. Redoux, soit sans le remarquer, soit
songeant à [31] quelque acquisition nouvelle dont la Direction
ne l'avait pas encore prévenu, lui donna, comme au *voisin*
taciturne, un léger coup de plumeau, puis s'éloigna°.
L'instant d'après,[32] les portes se refermèrent. M. Redoux,
15 triomphant, pouvant, enfin, réaliser un de ses phantasmes, se
trouvait seul dans les azurées ténèbres, semées d'étincelle-
ments, du salon de cire.

Se frayant passage, sur la pointe du pied, à travers tous
ces vagues° rois et reines, jusqu'à l'estrade, il en monta
20 lentement les degrés vers la lugubre machine: le carcan de
bois faisait face à toute la salle. Redoux ferma les yeux
pour mieux se *remémorer*° la scène de jadis, — et de grosses
larmes ne tardèrent pas à rouler sur ses joues! — Il songeait
à celles [33] qui furent toute la plaidoirie du vieux Males-
25 herbes°, lequel, chargé de la défense de son roi, ne put [34]
absolument que fondre en pleurs devant la «Convention
nationale.»

—Infortuné monarque, s'écria Redoux en sanglotant, oh !
comme je te comprends! comme tu dus [35] souffrir! — Mais

---

[29] **elle.** Refers to **personne**; disregard.

[30] **à s'y méprendre,** " enough to deceive anyone."

[31] **songeant à.** *Songer* and *penser* take the preposition **à** in the
meaning " to think *on* or *about*" something; to " turn the mind *to*"
some fact. The meaning here is " believing this to be some new . . .",
etc.

[32] **d'après.** The expression has adjectival force here; " following."

[33] **celles.** Refers to **larmes**.

[34] **put.** Supply *rien faire*.

[35] **dus.** Redoux lapses into narrative style. In conversation this

on t'avait, dès l'enfance, égaré! Tu fus la victime d'une
nécessité des temps.   Comme je te plains, du fond du cœur!
Un père de famille... en comprend un autre!...° Ton forfait
ne fut que d'être roi... Mais, après tout, moi, JE FUS BIEN
MAIRE°! (Et le trop compatissant bourgeois, un peu   5
hagard, ajoutait d'une voix hoquetante et avec le geste de
soutenir quelqu'un: — Allons, sire, du courage!... Nous
sommes tous mortels... Que ³⁶ Votre Majesté daigne...)

Puis, regardant la planche et la faisant basculer:

—Dire qu'il s'est allongé là-dessus!... murmurait l'excel-   10
lent homme. — Oui, nous ³⁷ étions, à peu près, de même
taille, paraît-il — et il avait mon embonpoint.

«C'est encore solide, c'est bien établi. Oh! quelles
furent, quelles durent ³⁸ être, veux-je dire, ses suprêmes
pensées, une fois couché sur cette planche!... En trois   15
secondes, il a dû réfléchir à... des siècles!

«Voyons! ³⁹   M. Sanson° n'est pas là: ⁴⁰ si ⁴¹ je m'étendais
— rien qu'un peu — pour savoir... pour tâcher d'éprouver...
moralement...⁴²

Ce disant, le digne M. Redoux, prenant une expression   20
résignée, quasi-sublime, s'inclina, doucement d'abord, puis,
peu à peu, se coucha sur la bascule invitante: si bien qu'il
pouvait contempler l'orbe distendu des deux croissants
concaves, largement entre-bâillés, du carcan.

—Là! restons là! dit-il, et méditons.   Quelles angoisses il   25
dut ressentir!

Et il s'épongeait les yeux, de son mouchoir.

---

tense would be *a dû*, which means . . . ? See note 6, page 19; also
note 20, page 112.

³⁶ **Que.** Introducing the hortatory subjunctive in a principal
clause; "May *or* Let Your Majesty deign . . . ."

³⁷ **nous,** "Louis and I."

³⁸ **durent.** As in line 29, page 114. See note 35.

³⁹ **Voyons.** Exclamation, "Let's see!"; "Look here."

⁴⁰ **là.** Literally "there," but the French use it to mean "here" in
the sense of being present. The second *là* in line 25, below, has the
same meaning.

⁴¹ **si.** Such a use of "if" really means "suppose"; "what if."

⁴² **moralement.** Not "morally" but . . .? See Vocabulary.

La planche formait rallonge, sur un plan incliné vers les montants. Redoux, pour s'y installer plus commodément, fit un léger haut-le-corps qui amena, glissante, cette planche, jusqu'au bord du carcan. De telle sorte que, ce hasard le
5 favorisant encore, l'ancien maire se trouva, tout doucement, le col appuyé sur la demi-lune inférieure.

—Oui! pauvre roi, je te comprends et je gémis! grommelait le bon M. Redoux. Et il m'est consolant de songer qu'une fois [43] ici tu ne souffris plus longtemps!

10 A ce mot, et comme il faisait un mouvement pour se relever, il entendit, à son oreille droite, un bruit sec et léger. Crrrick! [44] C'était la demi-lune supérieure qui, secouée par l'agitation du contribuable, était venue, glissante aussi, s'emboîter sans doute en son ressort, emprisonnant, par
15 ainsi, la tête de l'ex-fonctionnaire.

L'honorable M. Redoux, à cette sensation, se mut, à tort et à travers; mais en vain: la chose avait fait souricière. Ses mains tâtaient les montants, — mais, où trouver le secret pour se libérer?

20 Chose singulière, ce petit incident le dégrisa, tout à coup. Puis, sans transition, sa face devint couleur de plâtre et son sang parcourut ses artères avec une horrible rapidité; ses yeux, à la fois éperdus et ternes, roulaient, comme sous l'action d'un vertige et d'une horreur folle; agité d'un
25 tremblement, son corps glacé se raidissait; ses dents claquaient. En effet, troublé par sa lourde attaque de phantasmomanie, il s'était persuadé que, *M. Sanson n'étant pas là*°, nul danger n'était à [45] craindre. Et voici qu'il venait de songer qu'à sept pieds au-dessus de son faux-col et
30 enchâssé en un poids de cent livres était suspendu le couteau; que le bois était rongé des vers, que les ressorts étaient rouillés, et qu'en palpant ainsi, au hasard, il s'exposait à toucher le bouton qui fait tomber la chose!

---

[43] **une fois,** " once "; " by the time you got this far."
[44] **Crrrick.** An onomatopœic word, in imitation of the sound made as the neckpiece clicked into place.
[45] **à.** Plus the passive idea of the infinitive. See note 22, page 112.

Alors — sa tête s'en irait rouler [46] aux pieds de cire de tous les fantômes qui, maintenant, lui semblaient une sorte d'assistance approbatrice; car les reflets du fanal, en vacillant sur toutes ces figures, en vitalisaient l'impassibilité. On l'observait! Cette foule aux yeux fixes paraissait attendre. — «A moi!»[47] râla-t-il; — et il n'osa recommencer, se disant, dans l'excès de ses affres, que la seule [48] vibration de sa voix pouvait suffire pour... Et cette idée fixe ravinait son front livide, tirait ses bonnes bajoues généreuses; des fourmillements lui couraient sur le crâne, car, en ce noir silence et devant la hideuse absurdité d'un tel décès, ses cheveux et sa barbe commençaient graduellement à blanchir (les condamnés, durant l'agonie de la toilette°, ont offert, maintes fois, ce phénomène). Les minutes le vieillissaient comme des jours. A un craquement subit du bois, il s'évanouit. Au bout de deux heures, comme il revenait à lui, le froid sentiment de sa situation lui fit savourer un nouveau genre d'intime torture, jusqu'au moment où le soudain grattement d'une souris lui causa une syncope définitive.

Au rouvrir des yeux, il se trouva, demi-nu, en un fauteuil du musée, entouré de garçons et d'ouvriers qui le frottaient de linges chauds, lui faisaient respirer de l'alcali, du vinaigre, lui frappaient dans les mains.

—Oh!... balbutia-t-il, d'un air égaré, à la vue de la guillotine sur l'estrade.

Une fois un peu remis, il murmura:

—Quel rêve! oh! la nuit — sous... l'épouvantable couteau!

Puis, en quelques paroles, il ébaucha une histoire: «Mû par la curiosité, il avait voulu *voir*: la planche avait glissé, le carcan l'avait saisi — et... il s'était trouvé mal.»

—Mais, monsieur, lui répondit le garçon du musée, — (le même qui l'avait épousseté la veille), — vous vous êtes alarmé sans motif.

---

[46] **rouler.** Use the present participle for the English significance.

[47] **A moi.** A French way to call for help.

[48] **seule.** Not "only" here, but "alone." In this sense it usually follows the noun in modern French.

—Sans motif!!... articula péniblement Redoux, la gorge encore serrée.

—Oui: le carcan n'a pas de ressort et ce sont les coins, en se touchant, qui ont produit le bruit; en vous y prenant bien,
5 vous pouviez le soulever — et, quant au couteau...

Ici le garçon, montant sur l'estrade, enleva, du bout d'une perche, la housse vide:

—Il y a deux jours qu'on l'a porté à revisser.

A ces paroles, M. Redoux, se redressant sur ses jambes, et
10 s'affermissant, regarda, bouche béante.

Puis, s'apercevant dans une glace, lui, vieilli de dix années, il donna, en silence, avec des larmes cette fois sincères, trois guinées à ses libérateurs.

Cela fait, il prit son chapeau et quitta le musée.

15 Une fois dans la rue, il se dirigea vers l'hôtel, y prit sa valise. — Le soir même, à Paris, il courut se faire teindre, rentra chez lui — et ne souffla jamais un mot de son aventure.

Aujourd'hui, dans la haute position qu'il occupe à l'une
20 des Chambres, il ne se permet plus un seul écart du régime qu'il suit contre sa tendance au phantasme.

Mais l'honorable *leader* n'a pas oublié sa nuit lamentable.

Il y a quatre ans environ, comme il se trouvait dans un salon neutre, au milieu d'un groupe où l'on commentait les
25 doléances de certains journaux sur le décès d'un royal exilé, l'un des membres de l'extrême-droite° prononça tout à coup les excessives paroles suivantes — car tout se sait! [49] — en regardant au blanc des yeux l'ex-maire de la localité du Centre:

30 —«Messieurs, croyez-moi; les rois, même défunts, ont une manière... parfois bien dédaigneuse... de châtier les farceurs qui osent s'octroyer l'hypocrite jouissance [50] de les plaindre!»

A ces mots, l'honorable M. Redoux, en homme éclairé, sourit — et changea la conversation.

---

[49] **tout se sait.** Like the English expression "Murder will out!"
[50] **s'octroyer l'hypocrite jouissance,** "give themselves the hypocritical satisfaction."

NOTES

NOTES

(The black-faced figures refer to pages; the others to lines.)

AVATAR

17. (Title) **Avatar.** The name given in India to the incarnations of a god, especially to those of Vishnu. By analogy, any transformation or metamorphosis; a transfer of souls.

18. 31. **Cagliostro,** Joseph Balsamo, Count di Allessandro; a clever Italian magician, doctor and student of the occult, born at Palermo. He had a great success at the court of Louis XVI and in Parisian society of the times (1743–1795).

19. 25. **mesmérique.** The tub described here was the device used by Mesmer to create magnetic sleep. Its use, with that of the metal rod to dispense the force, is well described in this story.

Frédéric Antonio Mesmer (1733–1815) was a German physician who introduced into Paris in 1778 his practice of animal magnetism which took the name *mesmerism.* His séances created a furor, which continued long after Mesmer had fallen into disgrace and died in Switzerland. With Braid in England, this force was developing into *hypnotism* by the time this story was written, and by 1880 Charcot in Paris and Bernheim in Nancy were using it as a therapeutic agent in the treatment of disease.

20. 19. **Soltikoff** or *Saltykov,* Michel (*pseud.* Chtchédrine), a Russian writer, author of social novels of liberal tendencies and marked by an admirable realism (1826–1889).

21. 14. **Comus,** a celebrated conjurer whose real name is unknown. He took this pseudonym to create a confusion with that of Ledru-Comus. He called himself *Le Premier Physicien de France* and had a great vogue. He died in poverty in 1820.

Comte, Louis-Christian-Emmanuel-Apollinaire (1788–1859). Born in Geneva; a magician and ventriloquist of great skill. He obtained from Louis XVIII the title of *Physicien du roi.*

Bosco, Bartolomeo. Italian magician, born in Turin (1793–1862).

21. 26. guenille. Molière speaks of the body in this fashion in *Les Femmes Savantes*, Act II, Scene VII, ll. 539–543.

PHILAMINTE.

Le corps, cette guenille, est-il d'une importance,
D'un prix à mériter seulement qu'on y pense?
Et ne devons-nous pas laisser cela bien loin?

CHRYSALE.

Oui, mon corps est moi-même, et j'en veux prendre soin:
Guenille, si l'on veut, ma guenille m'est chère.

22. 19. Saint Sébastien. Born at Narbonne about 250, was martyred at Rome in 288 by being pierced with arrows. He is the patron saint of archery, and his feast day is February 20. This martyrdom has been represented in paintings by many artists, including Raphael, Titian, and Van Dyck.

22. 23. Shiva or *Siva* (from the Sanskrit, *Çiva*). A god of the supreme Hindu triad, typifying destruction and reproduction.

23. 24. Jouvence, a nymph whom Jupiter changed into a fountain, to the waters of which he gave the virtue of rejuvenating anyone who would bathe in them.

24. 25. Méphistophélès—Faust. The legendary German magician, Dr. Faust, sold his soul to the demon, Mephistopheles, for worldly fortune. It is told in opera by Hector Berlioz's *Damnation of Faust* (1846) and by Charles Gounod's *Faust* (1859).

Hélène, a character in Goethe's play *Faust*, who represents classicism in the person of Helen of Troy, and whose union with Faust, of the Northern world, produced *Euphorion*, modern poetry.

25. 9. peintres. It must be remembered that Gautier had studied to be an artist. This accounts for his extensive knowledge of colors and his frequent reference to painters and their art.

25. 32. Babin, a shop-keeper who rented masquerade costumes.

Roméo; Vérone. Shakespeare's well-known play set in the Italian city of Verona.

26. 2. la fille des Capulets. Romeo was the son of Montague; Juliet, the daugher of Capulet. The feud of the parents ended with the death of the lovers.

26. 31. Brahma-Logum, the name of the old Hindu fakir, who, dying, bequeathed to Dr. Cherbonneau the holy word having the power to perform an avatar.

26. 32. Indra. In the Veda, the most ancient sacred literature of the Hindus, Indra was the great national god of the Aryans. He later sank to secondary rank.

27. 2. Macbeth. Gautier refers to the cauldron scene in Shakespeare's play, in which Macbeth seeks the prophecies of the witches.

27. 11. Brahma, the first member of the Hindu trinity; the Creator.

28. 8. grottes d'Elephanta. The caves or subterranean temples on the island of Elephanta, a little island in the Gulf of Bombay, six kilometers northeast of the city, where Cherbonneau had found Brahma-Logum dying.

28. 25. Vitziliputzili (usually spelled *Huitzilopochtli* or *Uchilobos*), the principal god of the *Tenuchcs*, a god which required constant human sacrifice in its temple in Mexico.

28. 26. Henri Heine (1799–1856), celebrated German poet, born in Düsseldorf, died in Paris. He wrote both in German and French.

28. 36. hoffmanique. E. T. A. Hoffmann (1776–1822), German author of many fantastic stories, widely translated into French, who strongly influenced Gautier's early manner (see *Introduction*). In his first description of Dr. Cherbonneau, Gautier says: " M. Balthazar Cherbonneau avait l'air d'une figure échappé d'un conte fantastique d'Hoffmann."

29. 21. Hippocrate, greatest physician of antiquity, a Greek born 460 B.C.

29. 22. Galien, a famous Greek physician, whose views often opposed those of Hippocrates (131–200 A.D.).

Paracelse (Paracelsus), a sixteenth-century Swiss physician and philosopher (1493–1541).

Van Helmont, Belgian physician, born in Brussels, who discovered the gastric juice (1577–1644).

Boerhaave, Dutch physician and chemist of Leyden, of more than European fame (1668–1738).

Tronchin, Swiss physician, born in Geneva (1709–1781).

29. 23. Hahnemann, German physician who founded the homeopathic school (1755–1845).

Rasori, Italian physician and patriot, born in Parma (1766–1837).

29. 28. Sir-Hasirim du roi Salomon (Hebrew, more correctly spelled *Shir Ha-Shirim*), the " Song of Songs " or " Le Cantique de Salomon," the twenty-second book of the Old Testament. Not only does Gautier make an unnecessary display of erudition by using the title in Hebrew words but he appears to have changed the meaning somewhat. The only reference to "leaping" or "dancing" in connection with "mountains" is in II: 8: "C'est ici la voix de mon bien-aimé; le voici qui vient, sautant *sur* les montagnes, et bondissant sur les coteaux" (in the French Bible); "The voice of my beloved! behold, he cometh leaping upon the mountains, skipping upon the hills" (English Bible). Gautier has the mountains doing the dancing instead of being danced upon.

30. 18. Psyché. In classical mythology, a lovely maiden personifying the soul, usually figured with the wings of a butterfly, emblematic of immortality. In one legend, she is a nymph beloved by Cupid (Eros) and is carried away by him and immortalized.

30. 32. Villa Salviati, the villa at Florence in which Prascovie was living when Octave met her and where he was about to declare his love when she made the gesture mentioned.

31. 13. Lascar. Literally, an East Indian native sailor; in familiar speech, a sly or malevolent person; a "tough old bird."

32. 19. Almanzor, a celebrated captain of the Moors of Spain (939–1001).

Azolan, a character in a tale of Voltaire. He is the protégé of Alcindor, king of the Genii. An opera based on this story (words by Le Monnier, music by Floquet) was first given Nov. 15, 1774.

32. 25. voix de Stentor. Stentor was a Greek herald of the Trojan war, endowed with a formidable voice.

32. 35. Bucentaure, the state barge of Venice in which the Doge rode, in celebrating his symbolical marriage with the sea.

33. 27. Canova, an Italian sculptor (1757–1822), considered as the restorer of his art in Italy. Reinach's *Apollo* (History of Art) says he thought himself a rival of the Greeks, but that he "was a very effeminate Praxiteles." **l'Amour embrassant Psyché.** His masterpiece, *Cupid and Psyche,* is in the Louvre in Paris.

33. 31. Paris Bordone. Italian painter, pupil of Titian (1500–1571).

Bonifazzio. There were three painters by this name of the sixteenth-century Venetian school.

33. 32. Palma, le Vieux, painter of the Venetian school, rival of Titian in religious pictures (c. 1480–c. 1540).

Paul Véronèse, painter of the Venetian school, born at Verona

(1528–1588).   He has painted many Biblical scenes.   Remember Gautier's artistic schooling in these references.

35. 1. bois de Boulogne, famous park just outside Paris, a favorite place for driving and strolling, and even duelling.

36. 9. Pythagore, Pythagoras, a Greek philosopher and mathematician of the sixth century B.C.   A partisan of transmigration of souls.   Many mathematical, geometrical and astronomical discoveries are attributed to him, including the multiplication table.

36. 10. guerre de Troie, the ten-year siege by the Greeks to recover Helen, wife of Menelaus.   This story is immortalized by Homer's *Iliad*.

36. 35. peintre.   Gautier refers repeatedly to experiences in painting, a profession which he had studied.

37. 1. Béatrice de Dante.   Dante Alighieri (1265–1321) was a celebrated Italian poet of Florence.   He describes in many poems an ideal and almost mysterious passion for a lady named Beatrice who, if she really did exist, may have been the daughter of Floco Portinari.

37. 25. Wishnou.   Vishnu, the second god of the Hindu trinity, called the " Preserver."   He has many incarnations, the most important being Rama and Krishna.

37. 27. Dourga, or Kali, wife of Shiva, goddess of wisdom in Hindu mythology.

38. 24. fluide magnétique.   Mesmer believed that certain individuals could store up in themselves or in certain objects a certain force which could flow out on contact as electricity does, or be cast out by passes of the hand.   *Fluide* here has no semblance to watery substances.

39. 22. Ganésa, or Ganéça, a Hindu god with the head of an elephant, son of Shiva and Parvati; considered the god of science and literature.

40. 13. bibliothèque Mazarine, a public library of Paris.   It was formed on the order of the prime minister Mazarin under the direction of Gabriel Naudé and opened to the public in 1643.

40. 14. livre des lois de Manou, one of the sacred books of India, in which is presented the doctrine of Brahmanism, and in which is found valuable information on the civilization of the Aryans since their coming to the valley of the Ganges.

40. 17. Ce testament fait à un mort . . . invraisemblable et pourtant réel.   It is characteristic of the new fantastic *genre* to tell stories as if they are really true and often to claim outright that the incidents are real, even though they may be hard to believe.

40. 22. peau de chagrin. In the Levant, horse or mule hide is tanned in such a way that it is roughened or embossed. Turkish *chagrin* is especially fine leather, rough-looking but durable. To compare the doctor's face to horse-hide tanned in this fashion presents a striking simile.

40. 28. redressa vivace. Heretofore each body remained inert, still mesmerized, after the avatar was accomplished, and the doctor had to awaken it. Has Gautier, in his need, given a little extra power to the sacred word of Brahma-Logum?

41. 4. grand livre, the Book of Life.

41. 16. Novalis (1772–1802), one of the most brilliant writers of the Romantic School of Germany.

41. 25. ce regard. When Octave entered Prascovie's boudoir clothed in the person of Labinski, she had been startled at the fiery, passionate look in his eye, and had fled to her room, locking herself in.

42. 3. Henri d'Ofterdingen, the principal hero of the novel by Novalis which bears the same name.

42. 4. Mohilev, a city in western Russia.

42. 19. Cascines. A park in Florence like the Bois de Boulogne in Paris. Octave had first seen Prascovie there.

43. 6. Vénus de Schiavone, a *Venus* painted by Andrea Schiavone, Italian painter and engraver (1522–1582). He was a pupil of Titian, who made of him a brilliant colorist.

43. 30. faits divers. The heading under which the newspapers of France publish accounts of accidents, insignificant scandals, and so forth.

L'ŒIL INVISIBLE

47. 3. Minnesœnger, a street named for the *Minnesingers,* German lyric poets or *trouvères* of the twelfth and thirteenth centuries. Note the variants in spelling of this word: *Minnesaengers* (p. 53, l. 19) and *Minnaesingers* (p. 66, l. 7). One would expect *Minnesaenger* as being equivalent to 𝔐𝔦𝔫𝔫𝔢𝔰ä𝔫𝔤𝔢𝔯.

Nuremberg, a German city in the state of Bavaria. The old part of the city has many houses of the fifteenth and sixteenth centuries; a castle dating from 1024 dominates the city.

50. 11. mauvais œil. The " Evil Eye," a superstition from the days of belief in sorcery, on which Gautier based his fantastic tale *Jettatura*. It was believed that persons having a certain cast in the eye could throw a spell over anyone on whom they might turn their eyes. A pair of horns of some animal, or the index and little fingers forming a horn, the other fingers being depressed, was a talisman against this spell. One can see to-day many a crooked little coral horn dangling from watch-chains in Naples, relics of an ancient talisman against the " Evil Eye."

50. 13. Flédermausse, *chauve-souris*, " bat." Erckmann and Chatrian give as a footnote on the German word (literally " flying mouse ") the French word *chauve-souris* (literally " hairless mouse ").

53. 5. Tubingue, a city of Germany in Würtemberg on the Neckar River. It has a famous university.

53. 14. Newstadt. Neustadt, a city of Bavaria.

53. 18–19. wachtmann. Of the five times this word occurs in this story it was spelled **watchmann** four times in the Nourry edition; in *l'Esquisse mystérieuse* (p. 21), **watchmann**; in *La Montre du doyen* (p. 100), **watchmann**; but (p. 112) **wachtmann.** It was considered advisable, however, to use the present spelling throughout as more consistent with the locale of the story and the nativity of the authors.

54. 11. Heidelberg, a German city in the state of Baden, celebrated for its university and student life.

54. 31. Sainte-Odile, a monastery and church of the seventeenth century, and certain old chapels. One of these, dating from the Roman epoch, contains the relics of Saint Odile, who in the seventh century founded the order that bears her name. It is located in Alsace on a high promontory overlooking the Rhine.

58. 13. l'araignée. A recent German author of fantastic stories, Hans Ewers, has a story undoubtedly based largely on *l'Œil invisible*. It was translated into French by Marc-Henry and appeared in *La Revue de Paris* of Nov. 1927, pp. 136–158, under the title *l'Araignée*. The same psychic force of suggestion and imitation is the key-note of the story and a beautiful purple and black spider plays an important part.

60. 27. Nassau, a little state of Germany annexed to Prussia in 1866; now part of Hesse-Nassau.

60. 29. **Ulm,** a German city in Wurtemberg.

63. 2. **Freyschütz,** a German opera by Weber (1821). The overture is especially fine.

63. 3. **Schwartz-Wald.** The Black Forest is a group of mountains in the states of Baden and Wurtemberg, Germany, covered with dense forests, much like the Vosges of France. The Neckar rises among them.

LE TRAIN 081

69. 5. **P.-L.-M.,** *Paris, Lyon et Méditerranée,* the railway system serving southern and southeastern France.

69. 23. **campagne de Chine.** French influence began in Indo-China in 1787 with a treaty between France and Gra-long, king of Annam, by which France received Tourane and the island of Pulo-Condore. Gra-long's successors persecuted missionaries and brought on the expedition of a French and Spanish fleet in 1858 to Tourane. That town captured and Saigon stormed in 1859, the French and Spanish were besieged there by superior numbers until February 1861, when Admiral Charner arrived with reinforcements. In the treaty of 1862 three provinces of Cochin-China, among other concessions, were ceded to France.

70. 5. **Dijon,** a city on the P.-L.-M., 315 kilometers (197 miles) southeast of Paris. It was the ancient capital of Burgundy.

70. 29. **gare de Lyon,** the terminal station of the P.-L.-M. in Paris.

71. 3. **pièces de cent sous.** A *sou* is 5 centimes; 100 sous are 5 francs. Formerly 5-franc silver pieces, about the size of an American dollar, were coined. Since the war, silver is out of circulation in France and a paper note has replaced the 5-franc piece.

71. 26. **Rouge.** The use of the capital letter personifies the " Red " of the railway danger signals as a living force.

72. 1. **copain,** a familiar word compounded of *co* and *pain* to mean " he with whom one shares his bread "; therefore " comrade."

72. 5. **Nuits,** a little town on the P.-L.-M. about twenty miles south of Dijon.

73. 12. **longeâmes.** Before the new corridor railway carriages came into use, the only way to pass along a moving train was by a continuous foot-board along the side, serving as one of the steps.

73. 13. **A.A.F. 2551.** Has the author slipped up on something here? If he saw the number on the phantom engine as the mirror-reversal of his own engine-number, how should he have seen the number painted on the door of the compartment? Write the above number and hold it before a mirror.

LE HORLA

77. 12. **La Seine.** The Seine rises in east central France, cuts Paris into two parts, passes Rouen through Maupassant's native Normandy and empties into an estuary on which is located the important port Le Havre. It is navigable to a great distance by sea-going ships.

79. 21. **deux tours de clef.** Such locks are common in France; the second turn of the key sends the bolt farther home.

81. 12. **le mont Saint-Michel.** On a rocky island in the bay of the same name, connected with the mainland by a dike, is situated this magnificent Benedictine abbey, surrounded by its little village. The description of Maupassant's visit has been omitted here. He retold rather humorously the legend of its origin in *La Légende du mont Saint-Michel*, published in the volume *Clair de Lune*.

84. 6. **géant des batailles,** a descendant of the Bourbon group of roses, brought into France from the Isle of Bourbon; in color, a bright scarlet with bright green foliage.

86. 18. **Hermann Herestauss.** Undoubtedly a name coined by Maupassant, since it does not appear in current German encyclopædias. The last name, pronounced in French, might sound like " Herr Stöss."

87. 14. **Normands.** Of Norman stock himself, Maupassant cannot be blamed for being proud of the exploit of William the Conqueror, who subdued England in 1066.

88. 17. **Revue du Monde Scientifique.** This must be a fictitious journal coined for the purpose. No such journal is listed in the *International Catalogue of Scientific Literature: List of Journals*, published for the International Council by the Royal Society of London, London, 1903; for France, Gauthier-Villars, Paris.

88. 22. San-Paulo or São Paulo, a state of Brazil of some three and a half million inhabitants.

88. 33. Empereur. Pedro II, who reigned until 1889 when a revolution proclaimed the republic.

89. 13. Mesmer. See page 121 for a note on *mesmérique* occurring page 19, line 25, of *Avatar*.

90. 4. moine du mont Saint-Michel. At the time of his visit, between June 3 and July 2 (see page 81), a monk had showed him about the abbey and had told him some legends about supernatural beings.

LA TORTURE PAR L'ESPÉRANCE

99. 1. l'Official. An " Official " was an ecclesiastical officer connected with the *Saint-Office* or Inquisition. Since no building by this name is known in Saragossa, the author must have meant the residence of the incumbent " Official " whose court sat at Saragossa.

Sarragosse or Saragosse. The city of Zaragoza in northern Spain, the ancient capital of Aragon, is now capital of the province. It is on the right bank of the Ebro River.

99. 2. Pedro Arbuez (Arbués) de Espila (1441–1485) was the first Inquisitor-General of Aragon. He was murdered in his church, the Seo, while at his devotions.

99. 3. Ségovie. The Spanish city of Segovia, capital of the province of the same name, a part of Old Castile, is located sixty-seven kilometers northwest of Madrid. It is the site of the old Moorish fortress, the *Alcazar*.

99. 4. Grand-Inquisiteur d'Espagne. The Head Judge of the Spanish Inquisition was appointed by and responsible to the king, who often used the office as a source of revenue and as a weapon of terrible power against the Jews, Moors, and Protestants. The first Inquisitor-General of Spain was Tomás de Torquemada (1420–1498), who was named Inquisitor of Castile and Aragon on Oct. 17, 1483.

99. 5. Saint-Office, the Tribunal of the Inquisition. It was presided over by the sovereign pontiff, and it was supreme judge over every crime against the faith. The " Congregation of the Roman Inquisition " or " Holy Office " still sits to-day, exercising a sovereign control over all doctrines and books.

99. 8. in-pace (Latin words meaning " in peace ") is the name given to a prison, dungeon or cellar in a monastery; a cell used to imprison guilty persons until their death; similar to the *oubliette* of feudal fortresses.

99. 16. Pauvres. Because of the capital letter, this probably refers to a religious sect, most likely the *Pauvres de la Mère de Dieu* or *Piaristes*, a congregation founded by Joseph Casalanti in Rome in 1617 for the religious instruction of children. They wear black cassocks, fastened in front by three leather buttons, and black cloaks falling to the knees. The official name is " clercs réguliers pauvres de la Mère de Dieu, pour les écoles pieuses."

99. 23. Othoniel, a judge of Israel. " And when the children of Israel cried unto the Lord, the Lord raised up a deliverer to the children of Israel, who delivered them, even Othoniel, the son of Kenaz, Caleb's younger brother." *Judges* 3: 9.

99. 28. rabbin. This is the usual form in French. The form *rabbi* in line 14 is used in cases of address and as a title preceding a name.

100. 10. auto da fé, slightly corrupted Spanish for " act of faith," the execution of a judgment of the Inquisition on a Jew or heretic, especially by burning at the stake. These ceremonies might be *general* or *special*. The former were more solemn and had a large number of victims; they were usually held on the occasion of some great event, such as the birth or the marriage of a prince. They were usually held in the square before a church, which would be decked in black. A victim could escape the fire by a last minute confession, in which case he was hanged before being burned.

100. 11. quemadero, the Spanish word for the *place* where condemned persons were to be burned, including the stake and pyre.

100. 21. dom, abbreviation of the Latin word *dominus,* "master," used as a title by certain religious orders, Benedictine, Chartreux, and so forth.

104. 28. Veni foràs de Lazare. Lazarus, the brother of Mary and Martha, was raised from the dead by Jesus, when He said, " Lazarus, come forth "; Λάσαρε, δεῦρο ἔξω; *Lazare, veni foras.* *John* 11: 43

LES PHANTASMES DE M. REDOUX

109. 3. Centre. The central part of France, such as Cher, Nivernais, and other departments of the region of the old provinces of Berri and Auvergne.

109. 6. " en dehors." Villiers fills his pages with neologisms, from Latin as well as from familiar sources. Not always does he use quotation marks or italics. In *Littré* occurs the idiom *être en dehors, être très franc, très-ouvert* (see *dehors*, Vocabulary).

109. 9. soi-même. The use of *soi-même* in attraction to the reflexive *se* is archaic, and came from the Latin; but many examples of such use are found up to the eighteenth century. *Soi* is used in modern French generally in an impersonal or general sense. (See Brachet et Dussouchet—*Grammaire française, Cours supérieur,* Par. 712, p. 339.)

110. 18. Musée Tussaud. The collection of wax figures, known as " Madame Tussaud's," has been in operation for more than a century and a half. Mme Tussaud's began as a private museum started by the physician and wax modeler, Christopher Curtius (Mme Tussaud's uncle), in Berne, Switzerland, in 1757. It was a museum in the Rue St. Honoré, Paris, in 1762; moved to No. 20, Rue du Temple, in 1770; opened in the Strand, London, in 1802, then toured the United Kingdom; finally settling in permanent quarters in Baker Street, London, in 1835; and transferring to the present premises in Marylebone Road adjoining Baker Street Station in July 1884. *Madame Tussaud's* was destroyed by fire on March 18, 1925, and rebuilt in 1927–28. The building now contains a pretentious cinema theatre and a confectionery, in addition to the waxworks.

In the " Grand Hall " are shown figures of celebrated persons, living and dead, of many nations (*no. 1,* Lord Balfour; *no. 25,* Louis XVI; *no. 180,* Rudyard Kipling; these numbers are of the summer of 1928; they are changed frequently). Then follow " The Hall of Kings " (*no. 181,* Edward VII; *no. 237,* William I); the " Hall of Tableaux," I and II; ending with the choice collection of murderers and instruments of torture in " The Chamber of Horrors." In this room, no. 76 is " The Guillotine," but it makes no claim on placard or program of being the one on which Louis XVI died.

In the first paragraph of the story the author speaks of the

museum as being in Baker Street.   Since this story was published
in *Histoires Insolites* (sometimes called *Derniers Contes*) in 1888,
and the museum left Baker Street in 1884, Villiers must have
written the story more than four years before it was published, or
else he was unaware of the change of address when he wrote it.

111. 9. roi-martyr, Louis XVI, who came to the throne of France
in 1774 and was guillotined in 1793.

111. 11. tous les excès.   Even this politician of a republican
government considered this execution as going too far, in spite
of the faults of the victim.

111. 21. Shakespeare.   It is quite reasonable to suppose that
Villiers may have visited the museum at some time.   At present,
however, Shakespeare is *no. 173* in the " Literary Corner " of the
" Grand Hall " and nowhere near the " Chamber of Horrors."
The latter is in a separate room for which an extra admittance fee
is charged.

111. 29. Presque.   Note the force of emphasis of Villiers' use
of capitals and italics.

111. 30. à quelque opinion que l'on appartînt.   Villiers, who is
much given to irony, sometimes subtle, sometimes biting, keeps
going an amusing comparison between the political views of ex-
mayor Redoux and the views of those who sent an unhappy
monarch to his death.   Thus, the sight of the guillotine is dreary
to anyone, " whatever might be his political party."

112. 5. vivants.   In order to make more striking the life-
like qualities of the wax figures, there are placed here and there, in
the spaces roped off for visitors, certain figures which have all
the appearance of visitors examining an exhibit.   In the *Musée
Grévin* in Paris, a similar exhibition, the editor noticed a ragged
old man with an umbrella, looking fixedly upward at the balcony.
In spite of himself, he followed the old man's gaze and saw a
couple of young lovers leaning on the balcony rail in intimate
conversation.   It was with considerable chagrin, a moment later,
that he noticed that both old man and lovers were of wax.   In
revenge, he watched half a dozen other visitors make the same
mistake in less than ten minutes.

112. 22. l'abbé Edgeworth de Firmont, the last confessor of
Louis XVI, who accompanied him to the foot of the scaffold, where
he is said to have exclaimed " Fils de saint Louis, montez au ciel."

113. 19. demi-guinée.   First coined in 1663.   The English guinea (and half-guinea) ceased being minted in 1813 and was superseded in 1817 by the present principal gold coin, the sovereign. Nowadays there is no such coin in circulation. Since the guinea is worth one shilling more than a pound, it is much used by clothiers and haberdashers. A price of twenty guineas for an overcoat is really £21; it seems that merchants hope that clients will think of such prices in terms of pounds.

114. 13. éloigna. The reader may doubt that such a mistake is possible. The editor submits the following anecdote in evidence.

In the summer of 1928, I escorted a party of ladies to Madame Tussaud's. On entering the shining new lobby, we were directed up a staircase by a tall Britisher in brown livery. At an angle of the stairway, another usher in the same livery directed us with a graceful gesture of his right hand up the next flight. It was only after passing that I noticed this usher still in the same position and, looking closely, saw that he was of wax. On entering the " Grand Hall " above, preceded by two ladies but followed by several others, I noticed another brown-clad figure directing us to the left with the self-same gesture. As I passed I caught a slight flicker of an eye-lid. As the group of ladies behind me approached him, the usher began to fall slowly forward, as if waxen legs were beginning to melt. Four piercing screams rang out, as the ladies sprang aside to escape the falling body. Then a chuckling British usher strolled away and chalked up four more victims.

114. 19. vagues. Intent as he was on reaching the guillotine, these figures may have been " vague " in his vision. They must have been placarded, but Redoux' knowledge of their historical significance may also have been " vague."

114. 22. remémorer, from the Latin *rememorare* by direct descent. Villiers puts this rather bookish word in italics because the more common expressions are *se souvenir* and *se rappeler*.

114. 25. Malesherbes, Chrétien-Guillaume de Lamoignon de- (1721–1794), French statesman, who asked and was granted permission to defend his friend Louis XVI. His efforts were unavailing and when he heard the decree, he could only utter a few words interspersed with sobs and tears.

115. 3. autre! Note how the device of broken sentences shows the emotion of the suffering illusionist.

115. 5. MAIRE! *Two* magistrates! More of Villiers' amusing irony: the king, whose only sin was to be born Chief Magistrate

of his country, is after all, political parties aside, a *confrère* of this
ex-mayor of a certain village of central France.

115. 17. **Sanson,** Charles Henri (1740–1793), public executioner
of Paris, succeeding his father in 1770. His name has become
famous as the executioner of Louis XVI. Royalists have said
that he died six months after the execution from remorse over
the act. His son and successor tripped the guillotine for Marie-
Antoinette and Malesherbes.

116. 28. **M. Sanson n'étant pas là.**   The use of italics emphasizes
this fixed idea, that the executioner was not present.

117. 13. **toilette,** the preparation for execution; cutting the hair
and shaving the neck of a person condemned to the ax.

118. 26. **l'extrême droite.** In the French Parliament, the political parties are seated, from the point of view of the president
facing the assembly, in the order of their political opinions, from
the most radical on the extreme left to the most reactionary on the
extreme right: the former (at present), communists; the latter,
monarchists.

VOCABULARY

FOREWORD TO VOCABULARY

The following words have been omitted from the vocabulary:

1. Articles; numerals; personal and relative pronouns; possessive, demonstrative, interrogative, and some indefinite adjectives and pronouns; the most common prepositions and conjunctions.

2. Names of days of the week and months of the year.

3. Words which have in this text both form and meaning identical in French and English; or sufficiently so that second-year students should recognize the similarity.

4. Many nouns ending in **-é,** and adjectives in **-que** and **-eux** whose stems are the same in both languages and whose meanings are the same with the corresponding English endings -*y*, -*c*, and -*ous*.

5. Many adverbs in **-ment** (when the adjective stem is given) when the meaning is the same with the corresponding English ending -*ly*.

6. Names of persons, places, and expressions which are explained in the notes.

7. All of the first hundred words of the Henmon Word List except 20 which occur in idioms, and *grand* and *monsieur* which occur as nouns. Only 26 words of the second hundred are omitted. Of these 7 fall under item 1 above, and 12 fall under item 3, and the others are common to no less than thirteen of the books used by Wood in "A Comparative Study of the Vocabularies of Sixteen French Textbooks"—*Modern Language Journal*, XI: 263–289, Feb.,1927.

8. Forms of regular verbs other than the infinitive, and of irregular verbs other than the model forms numbered as shown in the examples following, when such forms are irregular. When certain forms are not given, they obey regular rules of verb formation.

TABLE OF VERB FORMATION

(1) Infinitive	(2) Pres. Part.	(3) Past Part.	(4) Pres. Indic. 1st Sing.	(5) Past Def. 1st Sing.
dire devoir $\left[\begin{array}{c}future\\ \\ con\text{-}\\ditional\\regular\\verbs\end{array}\right]$	dis-ant dev-ant $\left\{\begin{array}{c}pres.\\indic.\\1st\text{--}2nd\\plural\\ \\imperfect\\ \\pres.\,subj.\\regular\\verbs\end{array}\right.$	dit dû $\left(\begin{array}{c}all\,com\text{-}\\pound\\tenses\end{array}\right)$	di-s doi-s $\left(\begin{array}{c}pres.\\indic.\\singular\end{array}\right)$	di-s du-s $\left(\begin{array}{c}past\,def.\\ \\impf.\\subj.\end{array}\right)$

(6) Future	(7) Pres. Indic. 3rd Plur.	(8) Pres. Subj. 1st Sing.	(9) Pres. Subj. 1st Plur.	(10) Other Irregularities
dir-ai	disent	dis-e	dis-ions	dites (*pres. indic. 2nd plural*)
devr-ai $\left(\begin{array}{c}fut.\\ \\cond.\end{array}\right)$	doivent	doiv-e $\left(\begin{array}{c}pres.\,subj.\\sing.\,and\\3rd\,plural\end{array}\right)$	dev-ions $\left(\begin{array}{c}pres.\,subj.\\1st\text{--}2nd\\plural\end{array}\right)$	(*no impera- tive*)

VOCABULARY

(Abbreviations: *m.* masculine; *f.* feminine; *n.* noun; *pro.* pronoun; *adj.* adjective; *adv.* adverb; *prep.* preposition; *conj.* conjunction; *fam.* familiar; *lit.* literally; *def.* defective; *pl.* plural; *impf.* imperfect; *impv.* imperative.

A

abaisser, to lower

abattre (like *battre*), to lower, fell, knock down; to depress, unman; **s'—,** to fall upon

s'abêtir, to grow stupid

abîme, *m.,* abyss

abjuration, *f.,* abjuration, renunciation of a faith or allegiance

d'abord, at first

aboutir, to end in, come to

abri, *m.,* shelter

abriter, to shelter

absolu, *m.,* the absolute

absorber, s'— dans *or* **en,** to be absorbed in, engrossed by

accent, *m.,* tone, accent

acception, *f.,* acceptation (*of a word*)

accoler, to hug, embrace

accomplir, to perform, accomplish

accorder, to grant

s'accouder, to lean on one's elbow(s)

accoutumé, accustomed

accroché, hooked, caught (*on something*)

accroupi, squatted

achalandé, fort —, prosperous (*in business*)

acheter, to buy

achever, to finish, complete

acquérir (2. *acquérant,* 3. *acquis,* 4. *acquiers,* 5. *acquis,* 6. *acquerrai,* 7. *acquièrent,* 8. *acquière,* 9. *acquérions*), to acquire

actions, *f.,* **— de grâces,** thanksgiving

actuel (-le), present

s'adosser, to lean against, put one's back to

adresse, *f.,* skill, cunning; address

advenir (like *venir*), to occur, befall, happen

affaibli, enfeebled, weakened

affaire, *f.,* affair, transaction, business

affaissement, *m.,* prostration, collapse

s'affaisser, to sink down, depress

s'affermir, to become strong, fortify one's self

affluer, to rush, flow

affolé, frantic, maddened

affre, *f.,* dread, horror, agony

affreu-x (-se), frightful, ghastly

141

affubler, to deck out, dress up

affût, *m.,* à l'—, on the watch, lying in wait

afin de, in order to

âge, *m.,* **au moyen** —, in the Middle Ages

s'agenouiller, to kneel

s'aggraver, to become worse

agir, to act, operate; **s'— de,** to be a question of

agiter, to shake, agitate; **s'**—, to wave; to bustle about, to be restless, uneasy

aïeux, *m. pl.,* ancestors

aigu (aiguë), sharp, keen

aiguillage, *m.,* switch (*railway*)

aile, *f.,* wing

d'ailleurs, besides, moreover

ainsi, thus, in this way; **— soit,** so be it!; **par —,** in this way; **— que,** as though, as much as, as well as

air, *m.,* air, appearance; **avoir l'— de,** to look like

airain, *m.,* brass

aise, *f.,* ease, comfort

ajouter, to add

alcali, *m.,* alkali, salts

alchimie, *f.,* alchemy (*mediaeval chemical science*)

alchimiste, *m.,* alchemist

aliéniste, *m.,* alienist (*a specialist in diseases of the mind*)

aliment, *m.,* food

allée, *f.,* walk, promenade, passageway

allemand, German

aller (4. *vais,* 6. *irai,* 7. *vont,* 8. *aille,* 9. *allions,* 10. *vas, va,* sing. pres. indic.; *va,* sing. impv.), to go; **— bien,** to be well; **s'en —,** to go away; **allons!** come!; well!, oh well!

s'allonger, to lengthen, grow long; to stretch one's self out

allumer, to light; to kindle, arouse

allumette, *f.,* match

allure, *f.,* pace, bearing

aloès, *m.,* aloe (*a resinous plant*)

altérer, to distort, deteriorate, befoul, impair

alternance, *f.,* alternation, succession

amaigri, emaciated, lean

amande, *f.,* almond

amant, *m.,* lover

âme, *f.,* soul

amener, to bring, lead

amour, *m.,* love; **—s,** love affair

amoureux, *m.,* lover (*in love with some one, not necessarily loved in return*)

amoureu-x (-se), **— de,** in love (with)

s'amuser, to amuse oneself, have a good time

an, *m.,* year

ancien (-ne), former, old

anéantir, to annihilate, crush, overwhelm, overcome; **s'**—, to be annihilated, crushed, etc.

anéantissement, *m.*, stupor, prostration, unconsciousness

ange, *m.*, angel

angélus, *m.*, Angelus (*religious service commemorating Christ's incarnation*)

anglais, English

angoisse, *f.*, anguish, pang

animer, to animate, bring to life

anneau, *m.*, ring

apercevoir (like *devoir*, reg. impv.), to perceive, notice, behold

apeuré, frightened

apparaître (like *paraître*), to appear

appareil, *m.*, apparatus

apparition, *f.*, appearance

appartenir (like *tenir*), to belong

appel, *m.*, call; bouton d'—, signal button

appeler, to call

appétissant, delicious, attractive

approbat-eur (-rice), approving, commending

s'approfondir, to deepen, grow deep

appui, *m.*, aid, support; à l'—, in support

appuyer, to rest upon, lean; s'—, to lean

après, after, afterwards; d'—, according to; following

apsara (*Hindustani*), *f.*, a female dancer in the court of Indra

aragonais, Aragonese (*inhabitant of a province of Spain*)

araignée, *f.*, spider

arbitre, *m.*, will; libre —, free will

arbre, *m.*, tree

arbuste, *m.*, shrub, bush

arceau, *m.*, arch, archway, vault

ardoise, *f.*, slate

arête, *f.*, ridge; fish bone

argent, *m.*, silver; money

argile, *f.*, clay

arme, *f.*, arm, weapon

armée, *f.*, army

armer, to arm, provide

armoire, *f.*, cupboard, clothespress

arrache-muscles, *m.*, pincers for tearing flesh (*instrument of torture*)

arracher, to pluck, pull

arrêter, to stop; s'—, to stop; to define, decide

arrière, en —, backward, to the rear

arriver, to arrive, become; — à, to happen to

arrondir, to round; s'—, to grow round

articulation, *f.*, joint

ascétique, ascetic, severe, austere

asile, *m.*, refuge

aspect, *m.*, sight, view, scene

assaillir (2. *assaillant*, 4. *assaille*), to assail

assassinat, *m.*, assassination, murder

assassiner, to assassinate, murder

s'asseoir (2. *asseyant* or *assoyant,* 3. *assis,* 4. *assieds* or *assois,* 5. *assis,* 6. *assiérai* or *asseyerai* or *assoirai,* 7. *asseyent* or *assoient,* 8. *asseye* or *assoie,* 9. *asseyions* or *assoyions*), to sit down; **assis,** seated, sitting

asservir, to enslave, subject

assez, enough; rather

assise, *f.,* foundation, base

assistance, *f.,* audience, company of bystanders

assister, to be present

assombrir, to darken

assombrissement, *m.,* growing darkness

s'assoupir, to grow drowsy, fall into slumber, drowse, die down

s'astreindre (like *craindre*), to confine one's self, tie one's self down (to anything)

atone, dull, expressionless

atroce, atrocious

attarder, to cause to loiter, dwell, dally

atteindre (like *craindre*), to reach, gain access to, achieve, attain

atteinte, *f.,* attack, seizure

atteler, to hitch up

attendre, to expect, await

attendrir, to soften, move (*emotionally*)

attirer, to draw up, close, attract

auberge, *f.,* inn

aubergiste, *m.,* innkeeper

aucun, none, no

augure, *m.,* augur, sign, presage

auprès, near by; — **de,** near by

auréole, *f.,* halo

aurore, *f.,* dawn, daybreak

aussitôt, immediately; — **que,** as soon as

autant, as much, the same; — **que,** as much as, as far as; — . . . —, in as much as . . . so

autel, *m.,* altar

auteur, *m.,* author

autour de, around, about

autrefois, formerly

autrement, otherwise

avaler, to swallow

s'avancer, to approach

avant, before; — **hier,** day before yesterday; — **que,** before

avarement, stingily, miserly

s'aventurer, to venture, take one's chance, hazard, risk one's self

aveuglement, *m.,* blindness, stubbornness

aviser, to perceive, espy

avivé, quickened, opened (*of a wound*), touched to the quick

avoir, — **l'air de,** to look like; — **beau** + *inf.,* to be useless to, to . . . in vain; — **besoin,** to need; — **chaud,** to be warm; — **du mal,** to have difficulty in; — **froid,** to be cold; — **grand'peur,** to be very much afraid; — **lieu,** to take place; — **peur,** to be afraid; — **soif,** to be thirsty

avouer, to admit

azuré, azure-colored, bluish

B

baccarat, *m.,* baccarat (*gambling game of cards*)

badine, *f.,* switch, light cane

baguette, *f.,* rod, wand

bahut, *m.,* trunk, clothes-press

baigner, to bathe

bâiller, to yawn

bain, *m.,* bath

baiser, to kiss, embrace; *n.m.* kiss

baisser, to lower; **se —,** to stoop

bajoue, *f.,* chap, hog's cheek (*fatty lobe of flesh as a cheek*)

balai, *m.,* broom (*see* **donner**)

balancer, to wave

balayer, to sweep

balbutier, to stammer

balcon, *m.,* balcony

baller, to dance, to rock

banal, commonplace

banc, *m.,* bench

bande, *f.,* strip, runner

bandeau, *m.,* bandeau, head band

banquette, *f.,* bench

baptême, *m.,* baptism

baquet, *m.,* tub

barbe, *f.,* beard

bariolé, painted with many colors

bas (-se), low; **en —,** below, downstairs, at the bottom; *n.m.* stocking

bascule, *f.,* see-saw board

basculer, to see-saw, tip

basque, *f.,* skirt, flap (*of a garment*)

bateau, *m.,* boat, ship

bâtiment, *m.,* building

bâton, *m.,* staff, stick, club

battant, *m.,* swinging door, window, gate

battement, *m.,* beating

battre (4. *bats*), to beat, strike; to bat (*of eyelids*); — **le briquet,** to strike a light

bavant, driveling, slavering, slobbering

béant, gaping, open-mouthed; **bouche —e,** open-mouthed

bec, *m.,* beak; — **de gaz,** gas-burner

bégayer, to stammer, stutter

bénévole, gentle, benevolent

bénir, to bless

besoin, *m.,* need; **avoir —,** to need

bétail (bestiaux), *m.,* cattle

bête, *f.,* beast, animal

bibliothèque, *f.,* library

bien, *m.,* property, possessions, goods; *adv.* well, really, indeed; — **entendu,** naturally; **si — que,** so that; **tant — que mal,** as well as one can, indifferently well; — **que**, although

bienfait, *m.*, kindness, good turn

bienheureu-x (-se), happy

bientôt, soon

bigarré, motley, party-colored

bijou, *m.*, jewel

bise, *f.*, north wind, blast

bistre, *m.*, bister (*dark brown color*)

bizarrerie, *f.*, oddity, caprice, whim

blanc (-he), white

blanchâtre, whitish

blancheur, *f.*, whiteness

blême, pale, ghastly, wan

blessure, *f.*, wound

bleuâtre, bluish

bleuir, to make blue

se **blottir**, to crouch, hide

bœuf, *m.*, ox; **Bœuf-gras**, *name of an inn, lit.* " Fat Ox "

boire (2. *buvant*, 3. *bu*, 4. *bois*, 5. *bus*, 7. *boivent*, 8. *boive*, 9. *buvions*), to drink

bois, *m.*, wood

boiserie, *f.*, woodwork

boîte, *f.*, box

bond, *m.*, bound, leap

bondir, to bound, start up

bonheur, *m.*, good luck, good fortune, happiness

bonhomie, *f.*, good nature

bord, *m.*, edge, brim

borne, *f.*, bound, limit

bosquet, *m.*, grove

bottine, *f.*, boot, shoe

bouc, *m.*, he-goat

bouche, *f.*, mouth, opening, heat-register; — **béante**, open-mouthed

boucherie, *f.*, butcher shop

bouchon, *m.*, stopper

boue, *f.*, mud, dirt

bouffée, *f.*, puff

bouger, to budge, stir

bougie, *f.*, candle

bouillant, boiling

bouleversé, upset, agitated, convulsed

bourdonnement, *m.*, humming

bourgeois, *m.*, burgher, townsman; *adj.* middle-class, ordinary, commonplace, uninteresting

bourgmestre, *m.*, burgomaster (*mayor of a German town*)

bourreau, *m.*, executioner, hangman

bout, *m.*, end; **au — de**, at the end of

bouteille, *f.*, bottle

bouton, *m.*, button; — **d'appel**, call button, signal button

brancard, *m.*, stretcher

branlant, shaking, tottering

bras, *m.*, arm

brasier, *m.*, brazier, furnace, fire

bravoure, *f.*, bravery

brebis, *f.*, sheep

br-ef (-ève), short; *adv.* in short

brésilien, Brazilian

breuvage, *m.*, drink, potion

briller, to shine, burn

brin, *m.*, blade (*straw, grass*), fragment

briquet, *m.*, flint; battre le —, to strike a light

brisant, *m.*, breaker

brise, *f.*, breeze

brisé, broken

brocanteur, *m.*, second-hand dealer

brodé, embroidered

bromure, *m.*, bromide

brouillard, *m.*, fog, mist; fumes

bruire (2. *bruyant*; impf., *il bruyait* or *il bruissait*, 3. *bruit*, 4. *bruis*; *def.* in plur. pres. ind., past def., pres. subj., and impv.; pres. part. adj. only: see bruyant), to murmur, rattle, make a noise

bruit, *m.*, noise, sound

brûler, to burn, scorch

brume, *f.*, mist, fog

brumeu-x (-se), misty

brun, brown

brusque, quick, sudden

bruyant, noisy

bûcher, *m.*, pyre, funeral pile

buffle, *m.*, buffalo

bureau, *m.*, desk

but, *m.*, purpose, end, goal

buveur, *m.*, drinker

C

caban, *m.*, hooded coat

cabinet, *m.*, office; — de travail, study, workroom, laboratory

cabriole, *f.*, caper

cacher, to hide, conceal

cachot, *m.*, cell, dungeon

cadavéreu-x (-se), corpse-like

cadavérique, corpse-like

cadavre, *m.*, corpse, body

cadenas, *m.*, padlock

cadre, *m.*, frame

cage, *f.*, cage, shield

cagoule, *f.*, monk's hood (*worn by friars of the Inquisition, covering the face, and with only two openings for the eyes*)

cahute, *f.*, hut, hovel

Caire, *m.*, Cairo

caisse, *f.*, box, chest

calciné, scorched, burned

calice, *m.*, chalice, cup (*flower*)

calleu-x (-se), hard, callous

calorifère, *m.*, heater, stove

campagnard, *m.*, -e, *f.*, peasant, country man (woman)

campagne, *f.*, country side; campaign (*military*)

caparaçonné, caparisoned, equipped, got up

car, because

carafe, *f.*, water-bottle, decanter

carcan, *m.*, iron collar, neckpiece (*pillory to hold the neck motionless*)

carré, square, plain, straightforward

carrefour, *m.*, cross-roads, crossing (*of two paths or passageways*)

casquette, *f.*, cap

casser, to break

cauchemar, *m.*, nightmare
causer, to cause; to chat
à cause de, because of
cavalier, *m.*, cavalier, gentleman
caveau, *m.*, vault, subterranean room
céder, to yield, give in
cèdre, *m.*, cedar
ceindre (like *craindre*), to gird, bind
ceinture, *f.*, waist
centenaire, hundred-year-old
cependant, however, moreover, nevertheless; meanwhile
cercle, *m.*, circle
cercueil, m., casket, coffin
cérébrale, congestion —, apoplexy
certes, certainly, it is true
cerveau, *m.*, brain, mind
cervelet, *m.*, back brain
cervelle, *f.*, brain
cesse, *f.*, sans —, without ceasing, constantly
chagrin, *m.*, grief, sorrow
chair, *f.*, flesh
chaise, *f.*, chair
châle, *m.*, shawl
chaleur, *f.*, heat
chambre, *f.*, room
chameau, *m.*, camel
chanceler, to stagger
chandelle, *f.*, (tallow) candle
chant, *m.*, song, singing
chantant, harmonious, musical
chanter, to sing
chapeau, *m.*, hat

chapelet, *m.*, string, necklace
chaque, each
charbon, *m.*, coal
charge, *f.*, duty; à la — de, on condition that, provided that
chargé, loaded
charité, *f.*, charity, love, benevolence
charlatan, *m.*, mountebank, quack
chasse, *f.*, hunting
chassé, chased out, driven from
chasseur, *m.*, footman
chat, *m.*, cat
château, *m.*, castle, chateau
châtier, to punish, chastise
chatoyant, florid, glittering
chaud, hot, warm; avoir —, to be warm
chaudron, *m.*, caldron
chauffer, to heat, warm
chauffeur, *m.*, fireman
chaumière, *f.*, hut, thatched cottage
chauve-souris, *f.*, bat
chef, *m.*, head, chief
chef-d'œuvre, *m.*, masterpiece
chemin, *m.*, way, road, path
cheminée, *f.*, fireplace, mantelpiece
chêne, *m.*, oak, oak tree
chenet (chenal or chéneau), *m.*, rain gutter (*on the cornice of a house—a provincial corruption*)
chercher, to seek, search
cheval, *m.*, horse

chevalet, *m.*, rack, wooden horse (*instrument of torture*)

chevalier, *m.*, knight, nobleman

cheveux, *m.*, *pl.*, hair

chevrotant, voix —e, tremulous voice

chien, *m.*, dog

chiffonner, to crumple

chiffre, *m.*, figure, cipher

chinois, Chinese

choc, *m.*, shock

chœur, *m.*, choir, chorus

chope, *f.*, large mug of beer

chopine, *f.* (*obsolete*), pint (*a measure nearly an English pint*)

choquer, to shock

choyer, to fondle, indulge, enjoy

chrysalide, *f.*, chrysalis (*pupa stage of insects, especially butterflies*)

chuchoter, to whisper

ciel, *m.*, sky, heaven

cigogne, *f.*, stork

cilice, *m.*, haircloth shirt

cime, *f.*, top, crest

cimetière, *m.*, cemetery

cinabre, *m.*, cinnabar (*artificial red mercuric sulphide, used in colors*)

cinquantenaire, *m.*, a fifty-year-old (man)

circonvolution, *f.*, circumvolution, brain fold

cire, *f.*, wax, waxworks

citadin, *m.*, citizen, city dweller

citronnier, *m.*, lemon tree, citron tree

clair, clear

claquer, to crack, chatter

clarté, *f.*, light

clavier, *m.*, keyboard

clef, *f.*, key

clientèle, *f.*, practice (*of doctors*)

cloaque, *m.*, cesspool, sewer

cloche, *f.*, bell

clocher, *m.*, steeple

cloître, *m.*, cloister

clou, *m.*, nail

cocarde, *f.*, cockade; a series of pleats

cocher, *m.*, coachman, driver

cœur, *m.*, heart

coffre, *m.*, chest, coffer

coffret, *m.*, chest, casket

cogner, to knock, thump

coin, *m.*, corner

col, *m.*, neck

colère, *f.*, anger

collatéral, *m.*, collateral, relative (*belonging to the same ancestral stock, but not in a direct line of descent, as brothers, cousins*)

collé, stuck

colombe, *f.*, dove, pigeon

colombier, *m.*, dovecot

colonne, *f.*, column, post

combinaison, *f.*, combination; plot

comble, *m.*, top; attic

combler, to fill up

commander, to order, command

comment, how, what, in what way

commère, *f.*, body, housewife

commodément, comfortably

compagnie, *f.*, company; de bonne —, well-bred

compatissant, compassionate

compatriote, *m.*, compatriot, fellow-countryman

complaisance, *f.*, complacency, kindness, pleasure

componction, *f.*, compunction, remorse

comprendre (like *prendre*), to understand

comprimer, to suppress, compress

compte, *m.*, account, reckoning, cause

concevoir (like *devoir* except reg. impv.), to conceive

conclu, concluded

condamné, *m.*, person condemned to death

conduire (2. *conduisant*, 3. *conduit*, 4. *conduis*, 5. *conduisis*), to lead

confiance, *f.*, confidence, trust

confiant, trustful, unsuspecting

se confier, to trust in, rely upon

confondre, to confuse; se —, to blend, mingle, be lost in

confrère, *m.*, colleague, fellow doctor (lawyer, etc.)

confus, confused, vague

congé, *m.*, dismissal, leave, discharge

congédier, to dismiss

congestion, *f.*, — cérébrale, apoplexy

connaissance, *f.*, knowledge, learning, consciousness

connaître (like *paraître*), to know, be acquainted with

conquérir (like *acquérir*), to conquer, overcome

conscience, *f.*, consciousness

conseil, *m.*, advice, counsel

conséquent, par —, consequently

conserver, to preserve, keep

considérer, to consider, examine

consommer, to consummate, carry out, accomplish

constater, to ascertain, learn, notice

constellé, studded, starred

consterné, amazed, astounded, dismayed

construction, *f.*, building

conte, *m.*, tale, story

contempler, to gaze at, stare at

contenir (like *tenir*), to contain

contour, *m.*, outline, contour

contrarier, to thwart

contre, against

contribuable, *m.*, tax-payer, citizen

convenir (like *venir*), to agree

convoi, *m.*, funeral procession; convoy (*of ships*), line

copain, *m.*, comrade

coq, *m.*, cock

coque, *f.*, shell, shield

coquille, escalier en —, spiral stairway

cor, *m.*, horn; — de chasse, hunting horn

cordon, *m.*, cord, string; order

corne, *f.*, horn (*of an animal*)

corniche, *f.*, cornice

corps, *m.*, body

corriger, to correct

corrosi-f (-ve), corrosive (*that which eats away by degrees*)

côté, *m.*, side, direction; à — de, beside; de —, aside; de mon —, in my direction

côtoyer, to keep close to, to hug (*a wall or shore*)

cou, *m.*, neck

couche, *f.*, couch, settee

coucher, to lay, put to bed; se —, to go to bed; couché, lying

couler, to flow

couleur, *f.*, color

coup, *m.*, blow, stroke, bit, nap (*of sleep*); à — sûr, surely, certainly; pour le —, this time, for once; sur le —, instantly, suddenly; tout à —, suddenly; — d'œil, *m.*, glance

coupable, guilty

coupe, *f.*, cup, goblet

couper, to cut, nip

cour, *f.*, courtyard

courbe, *f.*, curve

courbettes, *f.*, faire des —, to prance, rear slightly

courir (2. *courant*, 3. *couru*, 4. *cours*, 5. *courus*, 6. *courrai*), to run, hurry, hasten

couronne, *f.*, crown

couronner, to crown, wreathe

course, *f.*, trip, journey

court, short

coussin, *m.*, cushion

couteau, *m.*, knife

coûter, to cost

coutume, *f.*, custom, habit

couture, *f.*, seam

couvée, *f.*, brood

couvercle, *m.*, lid, cover

couvrir (like *ouvrir*), to cover

craie, *f.*, chalk

craindre (2. *craignant*, 3. *craint*, 4. *crains*, 5. *craignis*), to fear

crainte, *f.*, fear; — de, for fear

crainti-f (-ve), fearful, timorous

cramponner, to clutch, cling

crâne, *m.*, cranium

craqueler, to crack

craquement, *m.*, cracking noise, creaking, snapping

craquer, to crack, snap

crayon, *m.*, pencil, crayon

créer, to create

crépusculaire, dim, like twilight

crépuscule, *m.*, twilight, dim light

crespelé, wavy

crever, to burst (open); *fam.* to die, perish (*slang; in good French usually said of animals only*)

crier, to cry out, shout, scold, raise a row

crise, *f.*, crisis

crispé, contracted, clutched, clenched

crist-al (-aux), *m.*, crystal, cut-glass

croisée, *f.*, window

se **croiser,** to cross each other, pass

croissant, *m.*, crescent

à **croppetons,** crouched

croupissant, standing, stagnating

cruche, *f.*, jug

cueillir (2. *cueillant,* 4. *cueille,* 6. *cueillerai*), to pick, pluck

cuir, *m.*, hide, leather

cuirrasse, *f.*, armor

cuisine, *f.*, cookery, fare, kitchen

cuisinière, *f.*, cook

cuisse, *f.*, thigh

cuit, cooked; — **et recuit,** cooked to a turn

cuivre, *m.*, brass, copper

culotte, *f.*, breeches

culture, *f.*, cultivation, growing crop

cuve, *f.*, vat

D

dada, *m.*, hobby, fixed idea, obsession

daigner, to deign, condescend, be graciously pleased

dallage, *m.*, flagging, flagstone paving

dalle, *f.*, paving-stone, flagstone

darder, to dart

date, *f.*, **de longue —,** of long standing

davantage, more, further, any longer

se **débarrasser,** to rid one's self

se **débattre** (like *battre*), to struggle

déborder, to overflow, pass over

debout, *adv.*, standing

décès, *m.*, decease, death

se **déchiqueter,** to be marked out, to stand out

déchirer, to tear, rend

décidément, after all, really

déclanchement, *m.*, gear, clutch

décolorer, to discolor

décomposer, to grow blank, become distorted

découper, to carve; **se —,** to stand out

découverte, *f.*, discovery

découvrir (like *ouvrir*), to discover, descry, spy out, unveil, unroof; **à découvert,** exposed in the open

décrire (2. *décrivant,* 3. *décrit,* 4. *décris,* 5. *décrivis*), to describe

décrocher, to unhook, take down

dédaigner, to disdain, scorn

dédaigneu-x (-se), disdainful

dédain, *m.* disdain, scorn

dedans, inside, within; **là- —,** in there, therein

défaillir (like *faillir*; pres. indic. usually *défaus,* etc.) to grow weak and faint, swoon se **défier,** to distrust, suspect, beware

défiler, to pass (in review)

définiti-f (-ve), definitive, final

défunt, deceased

dégager, to release, relieve

degré, *m.*, step, stair

dégriser, to sober

déguisement, *m.*, disguise

dehors, *adv.*, outside; **en — de,** outside of; **au —,** outside; *n. m.* the outside, outdoors; **nature " en dehors,"** open, trusting nature

déjà, already

délayé, diluted

délicatesse, *f.*, delicacy, daintiness

délicieu-x (-se), delightful

délier, to untie

délire, *m.*, delirium, frenzy

demain, tomorrow

demander, to ask, request; **se —,** to wonder

démarche, *f.*, gait

déménagement, *m.*, removal

démesuré, excessive, extreme

demeure, *f.*, dwelling (place), house

demeurer, to dwell, remain

demi-, half; **à —,** half way; **— cercle,** *m.*, half-circle, bowed, hunched; **— crédule,** half-credulous

denoué, untied, detached

dent, *f.*, tooth, fang

dentelle, *f.*, lace

dépasser, to surpass

dépaysé, expatriated

déplacer, to displace, remove

déposer, to deposit, put down, place

déposséder, to dispossess

dépôt, *m.*, depot, warehouse

dépouille, *f.*, refuse; cast-off garment; body

dépouillé, stripped, despoiled, taken off

depuis, since (ago), for

déraciner, to uproot

déranger, to disturb

se **diriger,** to proceed, to start

derni-er, (-ère), last, past, recent

dérober, to rob; screen, conceal

derrière, behind

dès, from, by, as early as, as soon as; **— lors,** from that time on; **— que,** as soon as

désagrément, *m.*, annoyance, unpleasantness

désarroi, *m.*, disorder, confusion

descendre, to descend, stop (*at a hotel*)

désenchaîner, to unchain

désespéré, desperate; *n. m.*, a desperate person

désespoir, *m.*, despair

se **déshabiller,** to undress

désigner, to designate

désolé, desolate, disconsolate

désordonné, misplaced, disordered

désormais, henceforth, hereafter

desséché, dried up, withered away

desserrer, to pry open, loosen

dessiner, to sketch, delineate, mark off; **se —,** to stand out, be silhouetted

dessous, underneath

dessus, on, above, aboard; **au — de,** upon, above; **là —,** thereupon, thereon; **par —,** over, across

destiné, destined, intended, provided

détacher, to cut off, set off

détailler, to note details, survey

se **détendre,** to relax

détour, *m.*, turn, angle

détourner, to turn away

se **détraquer,** to get out of order

détresse, *f.*, distress

détruire (like *conduire*), to destroy

deuil, *m.*, mourning; **faire —,** to grieve

devant, *adv.*, before, in front of; *n. m.*, front, place in front

devenir (like *venir*), to become

deviner, to guess, divine

divination, *f.*, foreseeing of future events or discovery of hidden knowledge

devoir (2. *devant,* 3. *dû,* 4. *dois,* 5. *dus,* 6. *devrai,* 7. *doivent,* 8. *doive,* 9. *devions,* 10. no impv.), to owe; to have to, must (*in pres.*), must have (*past def., past indef.* or *pluperf.*), ought (*in cond.*)

dévorant, ravenous

diable, *m.*, devil; **faire le —,** raise a row, "raise the devil"

diablerie, *f.*, witchcraft, devilry

digne, worthy

dilaté, expanded, gladdened (*of the heart*)

dîner, to dine, eat dinner

dire (2. *disant,* 3. *dit,* 4. *dis,* 5. *dis,* 10. *dites,* pres. indic. 2d pl.), to say, tell; **c'est à —,** that is to say; **vouloir —,** to mean; **au —,** according to, in the opinion of

direction, *f.*, direction, management

discours, *m.*, speech, discourse

discuteur, *m.*, debater, arguer

disparaître (like *paraître*), to disappear

disparate, incongruous, ill-matched

disposer, to exercise, have at one's disposal

disposition, *f.*, arrangement

dissiper, to dispel, disperse; **se —,** to dissolve, vanish

dissoudre (2. *dissolvant,* 3. *dissous, dissoute,* 4. *dissous,* 5. *def.*), to dissolve

distinguer, to distinguish

distrait, distracted, absent-minded, inattentive

divers, various, sundry

doigt, *m.*, finger

doléance, *f.*, complaint, lamentation

dolent, mournful, doleful

domaine, *m.,* domain, estate, habitat

domestique, *m.,* man-servant

dominer, to dominate, overlook, look down upon

dominicain, *m.,* Dominican (*an order of mendicant preaching friars, founded 1215, by St. Dominic*)

domino, *m.,* domino, masquerade costume

dompter, to tame, subdue

dompteur, *m.,* tamer, trainer

donner, to give; **— des nouvelles de,** to be delighted with, astonished at; **— sur,** to open upon, look out on (over); **— un coup de balai,** to sweep quickly and carelessly

doré, gilded

dormeur, *m.,* sleeper

dormir (2. *dormant,* 4. *dors*), to sleep

douche, *f.,* shower bath

doué de, endowed with

douleur, *f.,* grief, pain

douloureu-x (-se), painful

doute, *m.,* doubt; **sans —,** doubtless

douter, to doubt; **se —,** to suspect

dou-x (-ce), soft, sweet, gentle, simple, calm

drap, *m.,* cloth, sheet

dresser, to make out, draw up; **se —,** to rise up, stand up, straighten up; **— procès verbal,** to report on

drogue, *f.,* drug

droit, right, straight, upright, erect

drôle, funny, queer

due (fem. past part. of *devoir*), due, owed

dur, hard

durant, during

durer, to last

E

eau, *f.,* water

ébauche, *f.,* rough draft, sketch

ébaucher, to sketch; **s'—,** to be delineated, take form

éblouissement, *m.,* dizziness

ébranler, to shake, move

ébriété, *f.,* inebriety, intoxication

écarlate, scarlet

écart, *m.,* exception, digression, deviation

échange, *m.,* exchange

échantillon, *m.,* sample

échapper (à), to escape

échelle, *f.,* ladder

échelon, *m.,* step (*of a ladder*); **d'— en —,** step by step

échevelé, disheveled

échine, *f.,* backbone; *fig.* back

échoppe, *f.,* porch, shed

éclair, *m.,* flash, lightning

éclaircir, to clear up, get clear

éclairer, to light up, enlighten

éclat, *m.,* force, brilliancy, emphasis; **— de rire,** burst of laughter

éclatant, excessive, bright

éclater, to shine, radiate, burst, break out

éclore (2. *def.*, 3. *éclos*, 4. *éclos*, *il éclôt*, 5. *def.*, 7. *éclosent*, 8. *éclose*, 9. *éclosions*, 10. *éclosons*, etc., pres. ind. pl.; *éclosais*, etc., impf.; no impv.), to be hatched; to open (*of flowers*)

écorce, *f.*, bark

s'écouler, to pass by

écouter, to listen (to)

écran, *m.*, screen

écraser, to crush

s'écrier, to cry out

écrou, *m.*, recess (*in a doorpost to receive a bolt*)

écume, *f.*, foam, scum, froth

s'effacer, to vanish, disappear

effectuer, to effect, execute, make

effet, *m.*, effect; **en —,** indeed

effilé, slender, sharp

effleurement, *m.*, brushing, slight contact

effluve, *m.*, effluvium (*subtle invisible emanation, magnetic outpouring*)

s'efforcer, to strive, endeavor

effrayant, frightful, ghastly

égal, equal

égards, *m.*, *pl.*, attentions

égarement, *m.*, distraction, wildness, bewilderment

égarer, to lead astray; **s'—,** to get muddled, wander, ramble, go astray, get lost

église, *f.*, church

égout, *m.*, sewer, drain

élan, *m.*, spurt, burst, impetus, rush, hurry, spring

s'élancer, to spring, dash, hasten, start away

élève, *m.* or *f.*, pupil

élever, to raise; **s'—,** to rise, stand

élimé, worn out

élite, *f.*, " elite"; **d'—,** choice

s'éloigner, to go away

élu(s), *m.*, elect, chosen one

embarras, *m.*, embarrassment

embaumer, to perfume, scent

s'emboîter, to fit in, be clamped

embonpoint, *m.*, stoutness, corpulence

embranchement, *m.*, branch, junction

embrasé, hot as if on fire

embraser, to set on fire

embrasser, to embrace, kiss

émerveillé, astonished, in wonder, marvelling

emmaillotté, wrapped up, swathed

émouvoir (like *mouvoir*), to move, stir, agitate; **s'—,** to be moved, stirred

s'emparer, to take possession of, lay hold of

empêcher, to prevent

empirer, to grow (get) worse

employé, *m.*, employee, workman

emporter, to carry away; **l'— sur,** to get the better of, overshadow

empreinte, *f.*, imprint

empressé, hurried, eager

encadrer, to frame, enclose

encastré, fitted in

encensoir, *m.*, censer, incense-burner

enchâssé, set, contained, made up of

encourir (like *courir*), to incur (*a fate*), draw down upon one's self

s'endormir, to go to sleep; endormi, asleep

endroit, *m.*, place, spot

énergique, powerful

énervement, *m.*, enervation, weakness, debilitation

enfance, *f.*, childhood

enfantin, childish

enfer, *m.*, hell

enfermer, to lock up, shut in, enclose, cover

enfilade, appartement en —, suite of rooms (*arranged in a file, each directly behind the other*)

enfin, finally, at last, after all

enfoncée, *f.*, recess, sunken place

enfoncement, *m.*, recess, sunken place

enfoncer, to bury

enfouir, to hide (*in the ground*)

enfourcher, to bestride, straddle, ride

enfourner, to put in the furnace or fire-box

s'enfuir (like *fuir*), to flee

engager, to urge, advise

s'engloutir, to be swallowed up, engulfed

engourdi, numb

enivrer, to intoxicate

enjamber, to step up, to stride over, put a leg over

enlacer, to clasp

enlever, to take away, remove

enluminé, colored, illuminated, highly colored through drink

ennoblir, to ennoble

ennuyeu-x (-se), bothersome, boring, annoying

enquête, *f.*, inquiry

enseigne, *f.*, sign, signboard

ensemble, together

ensuite, then, after that

entendement, *m.*, understanding, head

entendre, to know, understand, hear; ne pas — de cette oreille, not to see it that way, in that light; bien entendu, naturally

entérite, *f.*, enteritis (*inflammation of the intestines*)

enterrement, *m.*, burial

enterrer, to bury

entêté, headstrong, stubborn

entourage, *m.*, surroundings

entourer, to surround

entournure, *f.*, sleeve hole; gêner aux —s, *fam.* to make one feel ill at ease

entraînement, *m.*, allurement, impulse

entrave, *f.*, shackle, fetter

entre, between

entre-baîllement, *m.*, part opening

entrebâiller, to half-open, be ajar

s'**entre-choquer,** to chatter, rattle

entrecoupé, broken (*of words*)

entrecroisement, *m.,* crossing

entrelacé, entwined

entrer, to enter

entrevoir (like *prévoir*), to catch sight of, see dimly

s'**entr'ouvrir** (like *ouvrir*), to half-open

envahir, to invade, come over

envelopper, to wrap, envelop

envie, *f.,* desire, yearning

environ, about, in the neighborhood of

s'**envoler,** to fly away

envoyer, to send

épais (-se), thick

épancher, to pour out

s'**épanouir,** to blow (*flowers*), to open; **épanoui,** expansive, jolly, beaming

épars, disheveled

épaule, *f.,* shoulder

épée, *m.,* sword

éperdu, distracted, wild, aghast

épidémie, *f.,* epidemic

épier, to spy upon, watch

épingle, *f.,* pin

épinière, spinal; **moelle —,** spinal cord

éponger, to wipe, mop

épousseter, to dust

épouvantable, frightful

épouvante, *f.,* fright, terror, fear

épouvanté, aghast, in terror, horrorstricken, frightened

époux, *m.,* husband; **épouse,** *f.,* wife

épreuve, *f.,* test, trial, experiment

éprouver, to experience, feel

équipe, *f.,* team, shift (*of workers*)

équivaloir (like *valoir*), to be equivalent to

équivoque, deceiving, uncertain

errer, to wander

escalier, *m.,* staircase

esclave, *m.,* slave

espace, *m.,* space

Espagne, *f.,* Spain

espèce, *f.,* species, kind, sort

espérer, to hope

espoir, *m.,* hope

esprit, *m.,* spirit, mind, ghost; **—s,** wits; **— -de-vin,** *m.,* spirits

Esprit-Saint, *m.,* Holy Spirit

essayer, to try, attempt

essence, *f.,* benzine (*distilled oil*)

essuyer, to wipe off

estime, *f.,* **à son —,** in his estimation

estrade, *f.,* platform

établir, to establish, settle, build, construct

étage, *m.,* floor, story (*of a house*)

s'**étaler,** to be spread out, displayed

état, *m.,* state, condition; **à l' — de,** in the shape of

été, *m.,* summer

s'**éteindre** (like *craindre*), to

go out, be extinguished, to die

étendre, to extend, stretch out, hang out

étendue, *f.,* space

éternuer, to sneeze

étincelant, sparkling, shining

étincelle, *f.,* spark

étincellement, *m.,* sparkling, glittering

étoile, *f.,* star

étonnement, *m.,* astonishment

s'étonner, to be astonished, surprised, bewildered

étouffer, to smother, stifle, choke

étrange, strange

étrangeté, *f.,* strangeness

étrangler, to strangle

être, en — à, to come to the point of; **je suis à vous,** I am at your service

être, *m.,* being, creature

étreindre (like *craindre*), to grasp, lay hold of, grip, press

étreinte, *f.,* grip, attack

étrier, *m.,* stirrup; **à franc —,** at full speed, at headlong gallop

étroit, narrow

étudiant, *m.,* student

étudier, to study

évadé, *m.,* escaped person

s'évanouir, to faint, swoon; **évanoui,** vanished, in a swoon, unconscious

évasion, *f.,* escape

s'éveiller, to awaken

événement, *m.,* event

éventail, *m.,* fan

éventrer, to disembowel, rip open

éviter, to avoid

évocation, *f., summoning of a vision or phantasm*

évoquer, to evoke, call up

exaltation, *f.,* warmth, excitement

examen, *m.,* examination, inspection

excitation, *f.,* excitement

exclure (2. *excluant,* 3. *exclu,* 4. *exclus,* 5. *exclus*), to exclude, debar, shut out

exercer, to exercise, practice

exorciser, to exorcise, conjure

expérimenter, to experience, imagine

expérience, *f.,* experiment

expliquer, to explain

s'exposer, to be liable

exproprié, dispossessed

extase, *f.,* ecstacy, rapture

extasié, enraptured, struck with admiration

exténué, worn-out, enfeebled

extraire (2. *extrayant,* 3. *extrait,* 4. *extrais,* 5. *def.*), to take out, extract

extrait, *m.,* **— mortuaire,** certificate of death

extravagant, wild, unreasonable

F

face, *f.,* **faire — à,** to face; **en —,** opposite

fâché, angry, sorry

fâcheu-x (-se), unpleasant, troublesome

facile, easy

façon, *f.,* fashion, manner, way; **de — à,** so as to, in order to; **sans —,** unceremoniously; **en — de,** in a kind of, in lieu of

faible, feeble, weak; *n. m.* failing, weakness

faillir (2. *faillant,* 4. *faux,* 6. *faudrai,* 10. no impv.), to almost, just miss (*doing something*)

faim, *f.,* hunger; **avoir —,** to be hungry

faire (2. *faisant,* 3. *fait,* 4. *fais,* 5. *fis,* 6. *ferai,* 7. *font,* 8. *fasse,* 9. *fassions,* 10. *faites,* pres. indic. 2d pl.), to do, make, perform; **— de la peine,** to grieve, annoy; **— des courbettes,** to prance; **— deuil,** to grieve; **— du tort,** to harm; **— face,** to face; **— le diable,** raise a row, "raise the devil"; **— le guet,** to keep watch; **— partie,** to have a part in; **que —?** what's to be done?; **— semblant de,** to make a pretense of, pretend; **— souricière,** to act as a trap; **— un tour,** to take a stroll; **— voir,** to show; **se —,** to take place, happen, become

fakir, *m.,* fakir (*Mohammedan friar*)

falaise, *f.,* cliff

familier, *m.,* familiar (*of the Court of the Inquisition: a confidential officer of the tribunal employed especially in apprehending and imprisoning the accused*)

fanal, *m.,* globe (*of a lantern or chandelier*); watch-light

fantaisie, *f.,* fancy, whim

fantasmagorique, phantasmagoric (*of illusive images*)

farceur, *m.,* practical joker, rogue

farfadet, *m.,* goblin, elf

farouche, savage, fierce

faubourg, *m.,* suburb

faute, *f.,* fault

fauteuil, *m.,* armchair

fauve, fawn-colored, tawny, wild

faux-col, *m.,* collar

faux-passant, *m.,* sham bystander, manikin of a supposed visitor (*two lovers, an old countryman, etc., used to delude visitors of waxwork collections*)

faveur, *f.,* favor; **à la — de,** under cover of

fée, *f.,* fairy

feindre (like *craindre*), to feign

femme, *f.,* **— de chambre,** lady's maid

fendu, split; shaped (*of eyes*)

fenestré, windowed, with windows, openings

fenêtre, *f.,* window

fer, *m.,* iron

fer-blanc, *m.,* tin

fermer, to close; **— à clef,** to lock; **— à double tour,** to double-lock (*the second turn sends the bolt farther home*)

fermeture, *f.*, closing

feu, *m.*, fire; **au —!** Fire!

feuillage, *m.*, foliage

feuille, *f.*, leaf, sheet

feuilleter, to leaf, turn over the leaves of

fiacre, *m.*, horse-cab

ficeler, to tie up

ficelle, *f.*, string

ficti-f (-ve), fictitious, imaginary

fi-er (-ère), proud

fièvre, *f.*, fever

fiévreu-x (-se), feverish

figuier, *m.*, fig tree

figure, *f.*, form, figure, face

se **figurer,** to imagine, fancy, picture to one's self

fil, *m.*, thread

filament, *m.*, tenuous thread (*nerves*)

file, *f.*, file, row

filer, to spin

filet, *m.*, thread; net, trap

filiation, *f.*, filiation (*relationship of son to father, descent from father to son*)

fille, *f.*, **jeune —,** girl

fils, *m.*, son

fin, *f.*, end; **prendre —,** to come to an end

fin, *adj.*, fine, shrewd, keen, refined, delicate

finir, to finish; **— par + inf.,** to end by . . . , to finally . . .

firmament, *m.*, firmament, sky, heavens

fixe, fixed, steady

fixer, to fix, fasten

flair, *m.*, scent, shrewdness

flairer, to scent, smell

flambeau, *m.*, candlestick

flamboyer, to blaze

flatteusement, gratifyingly, pleasingly

flèche, *f.*, arrow, shaft

flétri, withered, faded

fleurir, to flower, blossom

florin, *m.*, florin (*an Austrian silver coin worth 48.2 cents, last coined in 1892*)

flotte, *f.*, fleet

flotter, to float, dangle

fluxion, *f.*, **— de poitrine,** pneumonia

foi, *f.*, word, belief, trust, faith; **ma —!** really, to be sure, I declare!

foin, *m.*, hay

fois, *f.*, time, occasion; **à la —,** both, at a time, at the same time; **une —,** once

folie, *f.*, madness, insanity

folle, *f.*, crazy woman

fonctionnement, *m.*, functioning

fond, *m.*, back, bottom, farther end; **au —,** or **du —,** at the back

fondre, to melt, burst (*into tears*)

fontaine, *f.*, fountain

fonte, *f.*, cast iron

force, *f.*, **à — de,** by dint of, because of

forfait, *m.,* offense, crime, transgression

fort, strong, heavy, severe, clever, skillful, good; high, loud; *adv.* quite, very, much

fosse, *f.,* grave

fou (fol, -le), crazy, insane; *n. m. and f.,* lunatic

foudroyante, apoplexie —, instantaneously fatal apoplexy

foudroyer, to strike dead, deaden

fouet, *m.,* whip

fouetter, to whip, beat

fouiller, to search

fouine, *f.,* marten (*carnivorous mammal larger than a weasel*), pole-cat

foulard, *m.,* scarf, muffler

foule, *f.,* crowd

four, *m.,* oven

fourmillement, *m.,* tingling

fournaise, *f.,* furnace; torrid heat

fourrure, *f.,* fur

fluxion, *f.,* inflammation; **— de poitrine,** pneumonia

fra redemptor, *m.* (*Latin*), brother redeemer (*monk engaged in "redeeming" the souls of heretics for the Inquisition*)

fracas, *m.,* din, crash, much noise

fraîcheur, *f.,* freshness

frais (fraîche), cool, fresh, ruddy

fraise, *f.,* strawberry

franchement, frankly

franchir, to cross, pass

frange, *f.,* fringe

frapper, to strike, impress

frayer, to open, mark

frein, *m.,* brake

frêle, frail, weak, slender

frémir, to shudder, shiver, tremble

frileusement, warmly, as one sensitive to cold

fripier, *m.,* dealer in old clothes

frisson, *m.,* shiver, shudder

frissonner, to shiver, shudder

froc, *m.,* frock, monk's garment

froid, cold; **avoir —,** to be cold

froissement, *m.,* rustling

frôler, to graze, brush by or against

front, *m.,* forehead; **de —,** abreast, parallel

frotter, to rub

fuir (2. *fuyant*), to flee (from)

fulgurant, sharp, dominating, irresistible

fumée, *f.,* smoke; fumes

fumer, to smoke

fumier, *m.,* dung, refuse

funèbre, funeral, funereal

furet, *m.,* ferret

fureter, to ferret out, pry

fusain, *m.,* charcoal pencil

fuser, to dissolve, expand

futaille, *f.,* cask, barrel

futile, frivolous, trifling

G

gagner, to gain, reach, attain

gaîté, or **gaieté,** *f.,* gaiety, cheerfulness

galbe, *m.,* outline, form

galère, *f.,* galley, prison ship; **aux —s,** to prison

galoche, menton de —, long-pointed chin, turned-up chin

garantir, to safeguard, shield

garçon, *m.,* boy, lad, fellow, attendant

garder, to hold, maintain, keep, retain; **prendre garde,** take care, beware of, notice; **Dieu me garde de . . . ,** God preserve me from . . .

gare, *f.,* station

gars, *m.,* lad

gauche, left

gaz, *m.,* gas; **bec de —,** gas burner

gémir, to groan, moan, sigh, lament, grieve

gêner, to trouble, inconvenience, bother, disturb; **— aux entournures,** *fam.,* to make one feel ill at ease

généreu-x (-se), generous, bountiful, extensive

génie, *m.,* spirit; *pl.* genii

genou, *m.,* knee

genre, *m.,* species, kind, style

gens, *m. pl.,* people, persons

germer, to germinate, take root, grow

gésir (2. *gisant,* 3. *def.* 4. *il gît,* elsewhere *def.,* except pres. ind. plur. and impf.), to lie, lie buried

geste, *m.,* gesture

gilet, *m.,* vest, waistcoat

glace, *f.,* ice; pane of glass; mirror; **à —,** with a mirror

se **glacer,** to freeze, get frozen; to chill, to ice

glacial, glacial, icy

glaive, *m.,* sword

glisser, to slide, slip

gloire, *f.,* fame

goëlette, *f.,* schooner

gonflant, puffing out

gorge, *f.,* throat

gouffre, *m.,* gulf, abyss, pit

goût, *m.,* (*sense of*) taste

goutte, *f.,* drop

gouttière, *f.,* gutter

grâce, *f.,* mercy, grace, pardon; **actions de —s,** thanksgiving; **— à,** thanks to, because of

gracieu-x (-se), graceful, gracious

grain, *m.,* grain, bit, particle

grand, *m.,* grandee (*Spanish nobleman*)

grandir, to grow up

grand'peur, *f.,* **avoir —,** to be very much afraid

grattement, *m.,* scratching

gravir, to climb up, ascend

gravure, *f.,* engraving, print

gré, *m.,* will, pleasure

greffier, *m.,* clerk of the court

grêle, thin, scanty

grelot, *m.,* bell (*small*)

grelotter, to shiver

grenouille, *f.,* frog

grignotement, *m.,* nibbling

grille, *f.,* grating, railing; gate

grillé, barred

grillon, *m.,* cricket

grimper, to climb

grincer, to grate, creak

gris, gray

grisonner, to make (*something*) grow gray

grommeler, to mutter

gronder, to scold

gros (-se), big, heavy; **en —,** wholesale

grossi-er (-ère), coarse, rude, rough

grotte, *f.,* grotto, cave

guenille, *f.,* rag, rubbish

guère, ne *verb* **—,** scarcely, hardly

guéridon, *m.,* stand, small round table

guérir, to cure

guérison, *f.,* cure

guérite, *f.,* watchtower

guerre, *f.,* war

guetter, to watch closely

guinée, *f.,* guinea (*an English gold coin issued from 1663 to 1813, first struck out of gold from Guinea. In 1717 its value was fixed at 21 shillings,—$5.11*)

guivre or **givre,** *f.,* serpent, wivern (*a fabulous, two-legged, winged creature, like a cockatrice, but having a dragon's head*)

H

(* *indicates an aspirate* h)

s'habiller, to dress

habit, *m.,* coat

habitant, *m.,* inhabitant

habiter, to live (in), reside

habitude, *f.,* habit, custom

habitué, accustomed

*****haillon,** *m.,* rag, tatter

haleine, *m.,* breath, breathing

*****haleter,** to pant, gasp

*****hanche,** *f.,* hip

*****hangar,** *m.,* shed, outhouse

*****hanter,** to haunt

*****hantise,** *f.,* fixed idea, haunting

*****harassé,** wearied, jaded

*****hasard,** *m.,* chance; **au —,** at random; **à tout —,** quite at random

se*hâter, to hasten, hurry, be in a hurry

*****haut,** *adj.,* high, loud, tall; *n. m.,* top; **en —,** above, upstairs

*****hautbois,** *m.,* oboe

*****haut-le-corps,** *m.,* body-movement, hunch, jerky motion

hébété, stunned, stupid

hépatite, *f.,* hepatite, liver-stone

herbage, *m.,* green stuff, grass

herbe, *f.,* grass

*****hérissé (de),** bristling (with)

héritier, *m.,* heir

hetmann, *m.,* a cossack headman or chief

heure, *f.,* hour; **tout à l'—,** presently

heureu-x (-se), happy, fortunate

*****heurt,** *m.,* touching, collision, jolt, contact

heyduque, or **heiduque,** *m.,* footman (*dressed in Hungarian costume, wearing a saber*)

*****hideu-x (-se),** frightful, hideous

hier, yesterday

hiératique, hieratic, sacerdotal (*pertaining to priests*)

holocauste, *m.,* burnt offering, sacrifice, victim

honnête, honest, upright, civil, modest, reasonable

*****hoquet,** *m.,* hiccup, hiccough

*****hoquetant,** sobbing, interspersed with sobs

horloge, *f.,* clock, (clock) works

*****hors,** out; — **de,** outside (of)

hospodar, *m.,* an old title of vassal princes or governors of Moldavia and Wallachia

hôte, *m.,* host; guest; occupant; owner

hôtel, *m.,* residence

*****houppe,** *f.,* tuft

*****housse,** *f.,* cover, cloth

huile, *f.,* oil

huître, *f.,* oyster

*****hurler,** to howl, scream

hypocrite, hypocritical

I

ici-bas, here below, of this earth

ignorer, to be ignorant of, unaware of (opposite of *savoir*)

s'illuminer, to illuminate, enlighten

image, *f.,* picture, scene, image, vision; reflection

imparfait, imperfect

impassibilité, *f.,* impassibility (*state of being impassible or incapable of feeling*)

impitoyable, pitiless, ruthless, unmerciful

implorer, to implore, beg, invoke, pray to

importer, to be important; **n'importe,** no matter; **n'importe où,** anywhere

imprimer, to impress, stamp

improviste, à l'—, unawares, unexpectedly

impuissance, *f.,* powerlessness

inanimé, lifeless, unconscious

incendiaire, incendiary, burning

incendie, *f.,* fire

incidence, *f.,* incidence (*act, fact, or manner of falling upon or affecting something*)

incliner, to bow, lean forward

inconnaissable, unrecognizable, unknowable

inconnu, unknown

incrusté, inlaid

Inde, *f.,* India

indigné, indignant

indistinct, indeterminate, uncertain

individu, *m.,* self, person

industriel, *m.,* manufacturer, business man

ineffable, unutterable
inexplicable, unexplainable
inexprimable, inexpressible, unutterable
inférieur, lower
infini, *m.*, the infinite
innombrable, innumerable, countless
inonder, to flood, cover
inouï, unheard of
in-pace (*Latin*), *m.*, dungeon
inqui-et (-ète), anxious, restless
s'inquiéter (de), to worry; inquiétant, disturbing, alarming
inquiétude, *f.*, anxiety, uneasiness, worry, trouble
insensiblement, imperceptibly, gradually
insertion, *f.*, insertion (*anatomy—the end or part of a muscle or tendon by which it is attached to the part to be moved*)
insidieu-x (-se), sly, wily, deceitful, insidious
insolite, unusual, unwonted
instant, earnest
instruit, educated
insupportable, unbearable
interdit, dumfounded, speechless
interlocuteur, *m.*, person speaking, person with whom one is holding a conversation
invoquer, to invoke, call upon
invraisemblable, improbable
irisé, rainbow-hued

issue, *f.*, outlet, issue, escape
ivoire, *m.*, ivory

J

jadis, formerly, in olden times
jaillir, to dart out, spirt out, gush forth, burst out
jalou-x (-se), jealous; proud
jambe, *f.*, leg
jardin, *m.*, garden
jardinière, *f.*, flower stand
jaseron, *m.*, gold chain of fine links
jaunâtre, yellowish
jaune, yellow
jet, *m.*, jet, spirt
jeter, to throw (away)
jeûne, *m.*, fasting
jeunesse, *f.*, youth
joie, *f.*, joy
joue, *f.*, cheek
jouer, to play; feign; — un mauvais tour, to play a mean trick
jouir (de), to enjoy
jouissance, *f.*, enjoyment, pleasure
jour, *m.*, day, daylight; — de souffrance, borrowed light
journ-al (-aux), *m.*, newspaper
journée, *f.*, day; day's work
joyau, *m.*, jewel
juger, to judge
juif, *m.*, Jew
jupe, *f.*, skirt
jupon, *m.*, skirt
jusque, to, up to, as far as, even; jusqu'ici, till now

juste, accurate, correct; *adv.* just, right, enough

K

kreutzer, *m.,* kreutzer (*an old German or Austrian copper coin worth about half a cent*)

L

là-bas, yonder; **là-dessous,** underneath that, thereunder; **là-dessus,** thereon, on that; **là-haut,** up there

lâche, cowardly

laconisme, *m.,* brevity, curtness

laine, *f.,* wool

laisser, to let, leave (behind), permit

lait, *m.,* milk

laiton, *m.,* brass

lambeau, *m.,* shred, tatter, scrap

lame, *f.,* slab, sheet

lampadaire, *m.,* chandelier

lance, *f.,* rod, lance

lancer, to throw out, give

lanciner, to pain, to shoot pains

lange, *m.,* swaddling band, cloth

langue, *f.,* tongue

lansquenet, *m.,* lansquenet (*card game*)

laquais, *m.,* footman, lackey

large, broad, wide; **de long en —,** up and down

larme, *f.,* tear

las, tired, worn-out

lasser, to tire

latéralement, sideways, on the side

laurier, *m.,* laurel, bay tree

laver, to wash

lazaret, *m.,* quarantine hospital

lég-er (-ère), weak, thoughtless, inconsiderate; light, slight

legs, *m.,* bequest, legacy

léguer, to bequeath

légume, *m.,* vegetable

lendemain, *m.,* next day, morrow

lent, slow

lenteur, *f.,* slowness

leste, spry, nimble, quick, brisk

Levant, *m.,* the East, Levant

lever, to raise, lift; **se —,** to rise

lèvre, *f.,* lip, edge

lézard, *m.,* lizard

lézardé, cracked

se **libérer,** to free one's self

librairie, *f.,* book-trade, book-shop

libre, free, unoccupied; **— arbitre,** free will

lié, tied, fastened down

lieu, *m.,* place; **avoir —,** to take place; **au — de,** instead of

lieue, *f.,* league (*three miles*)

ligne, *f.,* line

limpide, limpid, clear

lin, *m.,* linen

linge, *m.,* linen, clothing, washing, rag, cloth

lingère, *f.,* wardrobe woman, linen maid

linteau, *m.,* lintel (*top of a door or window*)

lire (2. *lisant,* 3. *lu,* 4. *lis,* 5. *lus*), to read

liséré, bordered, edged

lit, *m.,* bed

litière, *f.,* litter, straw heap

livide, pallid, wan

livre, *m.,* book; *f.,* pound

se **livrer,** to give (way), devote one's self, give one's attention to

locution, *f.,* phrase, idiom, saying

loger, to lodge, dwell

logette, *f.,* little cell, lodging

logis, *m.,* house, dwelling

loi, *f.,* law

loin, far, distant; **de — en —,** at great intervals

lointain, distant

long, le — de, along; **de — en large,** up and down

longer, to pass along

longtemps, (a) long (time), for a long time

longueur, *f.,* length

loquet, *m.,* latch

lorsque, when

losange, *m.,* lozenge; **en —,** diamond-shaped

loué, rented; praised

loup, *m.,* wolf

lourd, heavy, thick, clumsy

lubie, *f.,* whim, craze, hobby

lucarne, *f.,* dormer window

lueur, *f.,* light, glow

luire (2. *luisant,* 3. *lui,* 4.

luis, 5. *def.*), to shine; to dawn, appear

lumière, *f.,* light

lumineu-x (-se), bright

lune, *f.,* moon

lunettes, *f.,* *pl.,* spectacles, goggles

lustre, *m.,* chandelier

lutte, *f.,* struggle, contest

lutter, to struggle, wrestle

luxe, *m.* luxury

M

macaque, *m.,* baboon, dog-faced monkey

mâcher, to chew; to champ (*the bit*)

machiavélique, Machiavelian (*as practiced by Machiaveli, an Italian famous for his intrigues*)

machinalement, mechanically

machine, *f.,* engine, locomotive

mâchoire, *f.,* jaw

mage, *m.,* wise man of the East

magnat, *m.,* magnate, nobleman

magnétisé, *m.,* hypnotized person

magnétiseur, *m.,* magnetizer, mesmerizer, hypnotist

maigre, thin, gaunt

maigreur, *f.,* leanness, hollowness

main, *f.,* hand; **à pleines —s,** abundantly, with both hands

maint, many a, a great many

maintenir (like *tenir*), to maintain, hold, restrain

maire, *m.,* mayor

maison, *f.,* house

maisonnette, *f.,* cottage

maître, *m.,* master

maîtresse, mistress; *adj.* chief, main

maître tortionnaire, *m.,* master torturer

majeur, major, superior, paramount

mal, *adv.* badly; — **(maux),** *n. m.* illness, disease; **avoir du —,** to have difficulty in; **se trouver—,** to be taken ill; **tant bien que —,** as well as one can, indifferently well

malade, *m. or f.,* patient, sick person

maladivement, morbidly, unhealthily

maladroitement, clumsily

malaise, *m.,* uneasiness, discomfort

malfaiteur, *m.,* criminal, evildoer

malgré, in spite of

malheur, *m.,* unhappiness, misfortune, bad luck

malheureu-x (-se), *adj.* unhappy, unfortunate; *n. m. or f.* wretch, unfortunate person

malice, *f.,* roguish trick; **sac à —s,** trick bag; **par —,** maliciously, roguishly

malsain, unhealthy, unwholesome

manche, *f.,* sleeve

manchon, *m.,* cylinder, can; muff

manger, to eat (up); use up

manière, de — à, so as to

manivelle, *f.,* crank

mannequin, *m.,* dummy, manikin

mansarde, *f.,* garret

marbré, mottled

marchand, *m.,* merchant

marchander, to haggle, bargain

marche, *f.,* step (*of a stair*)

marché, *m.,* market

marchepied, *m.,* step (*of a carriage*)

marcher, to walk, go, run (*a machine*); **en marche,** moving; Forward!

marge, *f.,* edge, margin

mari, *m.,* husband

se **marier (avec),** to marry, get married; to harmonize

marmotter, to mutter, mumble

maroquin, *m.,* morocco (*leather*)

marotte, *f.,* cap and bells, fool's bauble; whim

marquise, *f.,* awning; marchioness

massif, *m.,* clump, bed

masure, *f.,* rickety house

mater, to checkmate, subjugate, get the upper hand of

matin, *m.,* morning; **du —,** A.M.

matinée, *f.,* morning (*duration of*)

mauvais, bad

méandre, *m.*, meander, winding

mécanicien, *m.*, engineer

méchant, wicked, evil

mèche, *f.*, lock (*of hair*)

Mecque, *f.*, Mecca (*an Arabian city, the goal of Mohammedan pilgrimages*)

médecin, *m.*, physician, doctor

se **méfier (de),** to suspect, be on one's guard (against)

mégère, *f.*, shrew, scolding woman, hag

mêler, to mix, mingle; se — de, to meddle with, to mix in

même, same, very, even; de —, in the same way, likewise

menace, *f.*, threat, menace, danger

menacer, to threaten

ménagé, arranged, contrived, procured

mener, to lead, conduct, take, drive, run (*a machine*)

menton, *m.*, chin

méphitique, mephitic, foul-smelling, poisonous, noxious

mer, *f.*, sea; **vert de —,** sea-green

mériter, to merit, deserve

merveille, *f.*, marvel, wonder

merveilleu-x (-se), *adj. and n. m.*, marvelous, wonderful, supernatural

mesmérique, mesmeric (*used in performing mesmerism*)

mesquin, contemptible

mesure, *f.*, **à — que,** in proportion as

métempsychose, *f.*, metempsychosis (*transmigration of souls*)

métier, *m.*, trade, work, calling

mettre (3. *mis,* 4. *mets,* 5. *mis*), to put, take, place, put on, don; **— à nu,** to bare; **— au fait,** to inform; se **— en mouvement** (**route**), to begin to move, to start out

meubles, *m., pl.,* furniture

meurtre, *m.*, murder

meurtri, bruised

mi-, mid, half; **— clos,** half-closed

mieux, better

militaire, *m.*, soldier

millénaire, millenary (*consisting of a thousand years, of a thousand years duration*)

millier, *m.*, thousand

mince, thin, slim

mine, *f.*, **— de plomb,** black-lead pencil

minuit, *m.*, midnight; **— sonné,** past midnight

minutieu-x (-se), careful, close, minute

miroir, *m.*, mirror

mise, *f.*, **— en scène,** stage setting; show, make-believe, bluff

misérable, *m.*, wretch, unfortunate

miséricorde, *f.*, mercy, grace

mistralien, mistralian (*pertaining to the mistral, a northwest wind prevailing in southern France*)

mode, *f.*, fashion; à la —, in fashion, fashionable

moëlle, *f.*, marrow (*of bones*); — épinière, spinal cord

moëlleu-x (-se), soft, cosy

moi, *m.*, ego, I, me

moindre, less; le —, least, slightest

moine, *m.*, monk

moineau, *m.*, sparrow

moins, less; pour le —, at the least; au —, at least

mois, *m.*, month

momie, *f.*, mummy

momifié, mummified

monacal, priestly, monastic, of a monk

monade, *f.*, monad (*biology— any minute simple organism, or organic unit*)

monde, *m.*, world; people; du —, in the world; tout le —, everybody

monsieur (*title*), Mr., sir; *n. m.* gentleman

montagne, *f.*, mountain

montant, *m.*, post, upright, doorpost

montée, *f.*, rise, climb, ascent

monter, to mount, climb; (*transitive*) to raise, set up

montre, *f.*, watch

montrer, to show

se moquer de, to jest, make fun of; je m'en moque, what do I care

moquette, *f.*, velvety woolen stuff used for portieres and rugs

moral, moral, mental

morceau, *m.*, piece, morsel, bit

mordre, to bite

moribond, *m.*, dying person

morne, dejected, dull, gloomy, mournful

mors, *m.*, bit, curb

mort, *m.*, dead (person), *f.*, death

mortuaire, extrait —, certificate of death

mot, *m.*, word

mou (mol, -le), soft

mouche, *f.*, house fly

mouchoir, *m.*, handkerchief

mouillé, wet, soaked, moistened

mouler, to mould

mourir (2. *mourant*, 3. *mort*, 4. *meurs*, 5. *mourus*, 6. *mourrai*, 7. *meurent*, 8. *meure*, 9. *mourions*), to die

mousse, *f.*, moss

mousseline, *f.*, muslin

moussu, mossy, moss-grown

moustique, *m.*, mosquito

mouton, *m.*, sheep

se mouvoir (2. *mouvant*, 3. *mû*, 4. *meus*, 5. *mus*, 6. *mouvrai*, 7. *meuvent*, 8. *meuve*, 9. *mouvions*), to move (about)

moyen, *m.*, way, means

mû (past part. of *mouvoir*)

mugir, to roar, howl

mur, *m.*, wall

muraille, *f.*, wall

musée, *m.*, museum

mutin, mutinous, rebel

N

nacre, *f.*, mother-of-pearl

naï-f (-ve), simple, innocent, ingenuous

naissance, *f.*, birth

nappe, *f.*, sheet (*of water*)

nasillard, ton —, nasal twang

navire, *m.*, ship

néanmoins, nevertheless

nécessiter, to need, require

négociant, *m.*, merchant

neige, *f.*, snow

nervure, *f.*, rib, nerve or vein (*as in a leaf or an insect's wing*)

net (-te), clear, precise

neu-f (-ve), new

neutre, neutral

nez, *m.*, nose

nicher, to nest, lodge

nœud, *m.*, knot, bow (*of ribbons*)

noir, black

noirci, blackened

nom, *m.*, name

nombre, *m.*, number

nombreu-x (-se), numerous

nommer, to name; se —, to be named

non plus, either

nourricier, père —, foster father

nourrir, to nourish, feed

nourriture, *f.*, food

nouv-eau (-el, -le), new; de —, anew, again

nouvelle, *f.*, intelligence, piece of news, information; donner des — de, to be delighted with, astonished at

se noyer, to drown one's self

nu, naked, nude

nuage, *m.*, cloud

nuancer, to shade, tint

nuit, *f.*, night; cette —, last night

nul (-le), no

nuque, *f.*, nape of the neck

O

obéir (à), to obey

s'obscurcir, to grow dark, dim

obscure, dark

obscurité, *f.*, darkness

obtenir (like *tenir*), to obtain, secure

occulte, occult, secret, mysterious

s'octroyer, to take upon one's self

odorat, *m.*, (*sense of*) smell

œil, *m.* (*pl.* yeux), eye

œuf, *m.*, egg

œuvre, *f.*, work; à l'—, to work!

offrir (like *ouvrir*), to offer, show

oiseau, *m.*, bird

olographe, wholly in the handwriting of the author

ombrager, to shade

ombre, *f.*, shade, ghost, shadow

omettre (like *mettre*), to omit

ondée, *f.*, shower
ondoyer, to wave, undulate
onduler, to undulate, travel up and down
ongle, *m.*, finger nail
opalin, like (or of) opal
opérer, to perform
opiniâtre, earnest, unflagging
opprimer, to oppress
opulent, rich
or, *conj.*, now; *n. m.* gold
orageu-x (-se), stormy, wild
oraison, *f.*, oration, sermon; **— funèbre,** funeral oration
oranger, *m.*, orange tree
orbe, *m.*, orb, circle
ordonner, to prescribe, order
oreille, *f.*, ear; **ne pas entendre de cette —,** not to see it that way, in that light; **prêter l'—,** to listen
oreiller, *m.*, pillow
orgueilleu-x (-se), proud, haughty
orner, to adorn
os, *m.*, bone
osciller, to oscillate, flicker, rock, totter
oser, to dare
osseu-x (-se), bony
ôter, to take off (away), remove
oubli, *m.*, oblivion, forgetfulness
oublier, to forget
outil, *m.*, tool
outrance, *f.*, excess; **à —,** to the full, utmost
outre, en —, besides

outre-Manche, cross-channel (*the English Channel*)
ouverture, *f.*, opening
ouvrage, *m.*, work, piece of work
ouvrier, *m.*, workman
ouvrir (2. *ouvrant*, 3. *ouvert*, 4. *ouvre*) to open; **— tout grand,** open wide

P

pace, in- — (*Latin*), dungeon
pagode, *f.*, pagoda
paillasse, *f.*, straw mattress
paille, *f.*, straw
paillon, *m.*, spangle
pain, *m.*, bread
paix, *f.*, peace
pâleur, *f.*, pallor, paleness
palier, *m.*, landing
pâlir, to grow pale
palper, to feel (*investigate by feeling*)
palpiter, to palpitate, move, pant, throb, quiver
se **pâmer,** to swoon, faint
panier, *m.*, basket
panneau, *m.*, panel, square
pantelant, panting, gasping
papillon, *m.*, butterfly, moth
paquebot, *m.*, steamer, packet boat
paquet, *m.*, package, parcel
parafe, *m.*, flourish (*added to one's signature*)
paraître (2. *paraissant*, 3. *paru*, 4. *parais*, 5. *parus*), to appear
parce que, because

parcourir (like *courir*), to run over, look over; to traverse, travel over

pareil (-le), similar to, like, such

parent, *m.* or *f.*, relative

paresseu-x (-se), lazy

parfait, perfect

parfois, sometimes

parfum, *m.*, perfume, fragrance

parmi, among

paroi, *f.*, wall

parole, *f.*, word, speech

part, *f.*, part, portion; **de la — de**, from, sent by; **quelque —**, somewhere

parterre, *m.*, flower bed

particuli-er (-ère), particular, private, peculiar, individual, special

partie, *f.*, part, portion; **faire —**, to have a part in

partir (2. *partant*, 4. *pars*), to leave, to start (off), depart

partout, everywhere

parvenir (like *venir*), to arrive, reach the ears of

pas, *m.*, step

passag-er (-ère), passing, transitory, temporary

passant, *m.*, passer-by, bystander; **faux —**, imitation bystander

passe, *f.*, pass (*of the hand*)

passementerie, *f.*, braid, gimp

passe-passe, *m.*, sleight of hand; **tour de —**, legerdemain

se **passer**, to happen, transpire, go on

pasteur, *m.*, pastor, minister, preacher; shepherd

pâture, *f.*, food

paupière, *f.*, eyelid

pauvre, poor

pavé, *m.*, pavement

pavillon, *m.*, flag

pays, *m.*, country, region, district

paysage, *m.*, landscape

paysan (-ne), *m.* or *f.*, peasant

peau, *f.*, skin

pêche, *f.*, peach

peignoir, *m.*, morning gown, negligee

peindre (like *craindre*), to paint, portray

peine, *f.*, pain; **à —**, scarcely

peiner, to labor, toil

peintre, *m.*, painter

peler, to peel

pèlerin, *m.*, pilgrim

pelisse, *f.*, skin, fur coat

pelle, *f.*, shovel

pelletée, *f.*, shovelful

pelote, *f.*, pincushion, ball of thread

pelotonner, to huddle up

pelouse, *f.*, lawn

peluche, *f.*, plush

penchant, *m.*, penchant, leaning, inclination

se **pencher**, to lean forward, lean over, hold over

pendant, during; **— que**, while

pendu, *m.*, hanged (man)

pène, *m.*, bolt (*of a lock*)

pénétrer, to gain entrance, enter

péniblement, painfully

pensée, f., thought

percé, pierced; — au coude, out at elbows

perche, f., pole, fishing rod

perdre, to lose; se —, to be lost; perdu, lost, remote, out of the way

père, m., de — en fils, from father to son; — nourricier, foster father

perfide, treacherous

péricliter, to be in jeopardy

période, f., sentence

périr, to perish

perle, f., pearl

perron, m., steps (*flight of*)

persienne, f., shutter

perspicace, clear-sighted

perte, f., loss; à — de vue, as far as the eye can see

peser, to weigh

peu, adv., little; — de chose, little; à — près, about; — à —, little by little

peuple, m., multitude, assembly, mass, crowd, people

peur, f., fear; avoir —, to be afraid

peut-être, perhaps, maybe

phantasme, m., illusion, a delusive mental image

phantasmomanie, f., illusion-madness, mania for illusions

Pharaon, m., Pharaoh

phase, f., phase, stage, aspect

philologique, p h i l o l o g i c a l

(*pertaining to the love of learning or the study of languages*)

phrase, f., phrase, sentence, expression

phthisique, consumptive

piaffer, to paw the ground

pièce, f., piece, room

pied, m., foot; pointe du —, tiptoe

piège, m., trap

pierre, f., stone

pignon, m., gable

pinceau, m., brush

piquer, to prick

pire, worse; le —, worst

plafond, m., ceiling

plaidoirie, f., counsel's speech, plea

plaie, f., sore, wound

plaindre (like *craindre*), to pity; se —, to complain

plainte, f., groaning, wailing

plaire (à) (2. *plaisant*, 3. *plu*, 4. *plais*, 5. *plus*), to please, be pleasing to; se — à, to take delight in, like

plaisanterie, f., joke, jest, pleasantry

plaisir, m., pleasure

plan, m., plane; — incliné, inclined plane

planche, f., plank, board

plancher, m., floor

planer, to hover

plaque, f., plate, sign, spot

platane, m., plane tree

plâtre, m., plaster

plein, full, mid; — soleil, the open sunlight

pleur, *m.*, tear
pleuvoter, to drizzle
pli, *m.*, fold, juncture
se **plier,** to bend
plisser, to wrinkle, pucker
plomb, *m.*, **mine de —,** black lead (*as in a pencil*)
plonger, to plunge, to be inserted
pluie, *f.*, rain
plume, *f.*, pen, feather
plumeau, *m.*, feather duster
plupart, la — de, most, the greater part
plus, *adv.*, more; **le —,** the most; **tout au —,** at most, at the utmost
plusieurs, several
plutôt, sooner, rather
poche, *f.*, pocket
poésie, *f.*, poetry
poids, *m.*, weight
poignant, poignant, thrilling, sad, stinging, bitter
poignet, *m.*, wrist
poil, *m.*, hair, beard
poinçon, *m.*, punch, awl; stiletto
poing, *m.*, fist
pointe, *f.*, point, tip, end; **— du pied,** tiptoe
poitrine, *f.*, chest; **fluxion de —,** pneumonia
poli, polished, polite
polonais, Polish
poltron, *m.*, coward
pomme de terre, *f.*, potato
pommette, *f.*, cheek bone
poncé, rubbed with pumice stone

pondéré, well-poised, balanced
pont, *m.*, bridge
porche, *m.*, portal
port, *m.*, seaport, harbor
portail, *m.*, doorway, portal
porte, *f.*, door
porter, to carry, bear, wear; **je me portais si bien,** I was so well
portière, *f.*, curtain, door (*of a carriage*)
porto, *m.*, port (*a strong wine, usually dark red, originally from Oporto in Portugal*)
poser, to put, place, rest; to ask (*a question*)
posséder, to possess
pouce, *m.*, thumb
poudre, *f.*, powder
pouls, *m.*, pulse
poumon, *m.*, lung
pourpre, *m.*, purple
pour que, in order that
pourquoi, why
poursuivre (like *suivre*), to pursue, follow
pourtant, however, nevertheless
pourtour, *m.*, circumference
poussée, *f.*, push, pressure
pousser, to push (open); **— des cris,** to utter cries
poussier, *m.*, coal dust
poussière, *f.*, dust
poussi-f (-ve), broken-winded (*veterinary term*)
poutre, *f.*, beam, rafter
pouvoir, *m.*, power
pratique, practical

pratiquer, to fashion, build, make, practice, effect, perform

se **précipiter,** to hurry, rush, dash, throw one's self

précis, precise, exact

prémonitoire, premonitory (*giving a foretaste or previous warning of*)

prendre (2. *prenant,* 3. *pris,* 5. *pris,* 7. *prennent,* 8. *prenne,* 9. *prenions*), to take; — **fin,** to come to an end; — **garde,** take care, be aware of, notice; **se — bien à,** to go to work the right way; **en vous y prenant bien,** on going at it properly, you . . .

préparatif, *m.,* preparation

près, *adv.,* near; — **de,** *prep.,* near; **à peu —,** about

presque, almost

pressentir (like *sentir*), to have a presentiment of, foresee

pression, *f.,* pressure

prestesse, *f.,* nimbleness

prêt, ready

prétendre, to claim

prêter, to lend; — **l'oreille,** to listen

prêtre, *m.,* priest

prévenir (like *venir*), to warn, inform, let some one know, announce; — **de,** accuse of

prévoir (like *voir; pré-* + 2. *voyant,* 3. *vu,* 4. *vois,* 5. *vis,* but 6. *prévoirai*), to foresee, expect, anticipate, prearrange

prier, to beg, entreat, ask, invite

prière, *f.,* prayer, request, entreaty

prieur, *m.,* prior (*priest ranking next to an abbot*)

printemps, *m.,* spring

prise, *f.,* pinch of snuff; hold, action

prisonnier, *m.,* prisoner

procès verbal, dresser —, to report on

prochain, near, near at hand

proche, near, close by

prodige, *m.,* prodigy, wonder, marvel

produire (like *conduire*), to produce; **se —,** to occur, happen

se **profiler,** to stand out, appear in profile

profond, deep; *n. m.,* depth

profondeur, *f.,* depth

proie, *f.,* prey; **en — à,** a prey to

promener, to cast around; **se —,** to stroll, walk up and down, pace

à **propos,** by the way

propre, own (*if preceding*); clean (*if following*); proper, applicable

propriétaire, *m.* or *f.,* owner, proprietor

provenance, *f.,* origin, source

provenu, arising from, proceeding, resulting from

provisoirement, for the time being

prunelle, *f.,* pupil (*of the eye*)

puant, stinking, ill-smelling
puiser, to draw up (*as water from a well*)
puisque, since
puissamment, powerfully
puissance, *f.,* power, force
puissant, powerful
puits, *m.,* well
pythie, *f.,* Pythia (*priestess of Apollo at Delphi*)

Q

quant à, as to, as for
quarantaine, *f.,* quarantine
quart, *m.,* quarter, fourth
quasi-, almost, nearly, quasi-
quatre à quatre, four steps at a time, in great haste
quelconque, whatever, some . . . or other, of any kind
quelque, some; **quelquefois,** sometimes; **— part,** somewhere; **— . . . que,** whatever
querelle, *f.,* quarrel
queue, *f.,* tail
quitter, to leave, quit
quoique, although
quotidiennement, daily

R

rabattre (like *battre*), to pull down; **se — sur,** to fall back (or down) on
racine, *f.,* root
raconter, to relate, tell
raccommoder, to mend, repair
raffermir, to grow firm again

rafraîchir, to refresh
se **raidir,** to stiffen
raie, *f.,* line, streak
railleur, bantering, jesting
raison, *f.,* **— d'être,** reason for existence
rajeunir, to rejuvenate
râler, to utter (with) the death rattle, to choke (*as a dying man*)
rallonge, *f.,* lengthening piece, continuation
ramages, *m. pl.,* flowering
ramasser, to pick up
ramener, to bring back
rampe, *f.,* banister, handrail
ramper, to creep, crawl
rang, *m.,* row, rank, order
ranimer, to revive, restore
râpe, *f.,* rasp, file, grater
rapide, *m.,* express train
rappeler, to recall, remind; **se —,** remember; **le —,** bring him to his senses
rapport, *m.,* connection, relation
rapporter, to bring back
rapproché, near
raréfié, spiritual, refined
ras, à — de, on a level with
se **raser,** to shave
se **rasseoir** (like *asseoir*), to sit down again
rassurer, to reassure
rattraper, to catch again, catch up with
ravi, delighted
raviner, to crease, make gullies in
rayé, striped

rayon, *m.*, ray, beam
rayonner, to radiate
rayure, *f.*, streak
réaliser, to realize, obtain, accomplish
rebuter, to rebuff, repel, disappoint, discourage
récent, new, fresh, recent; récemment, newly, recently
recettes, *f. pl.*, recipe
recevoir (like *devoir*, but reg. impv.), to receive
réchaud, *m.*, small stove
récit, *m.*, tale, story
réclamer, to demand, claim back
reconduire (like *conduire*), to take home, lead back
réconforter, to comfort, cheer, fortify, strengthen
reconnaissance, *f.*, gratitude
reconnaître (like *paraître*), to recognize, acknowledge, requite
reconquérir (like *acquérir*), to regain, recover
recouvert, covered
recrépir, to plaster over
se recueillir (like *cueillir*), to meditate, reflect
reculer, to retreat, recoil, yield
reculons, à —, backwards
redevenir (like *venir*), to become again
rédimer, to redeem
redingote, *f.*, frock coat
redoutable, dreadful, fearful
redouter, to dread, fear
se redresser, to straighten (sit, stand) up

réduit, *m.*, nook, hole, recess
refermer, to close again
réfléchir, to reflect upon; se —, to be reflected
reflet, *m.*, reflection, beam
réfracter, to refract
se réfugier, to take refuge, shelter one's self
régaler, to entertain
regard, *m.*, look, glance
régime, *m.*, diet, regimen, order of things, existence
régler, to regulate, rule
reins, *m. pl.*, the back
réintégrer, to put back
rejeter, to throw (off) (away)
rejoindre (like *craindre*), to rejoin
se réjouir, to rejoice, be delighted
relâché, loose, lax, remiss
relever, to set off, relieve, raise; se —, to get up (again)
relié, bound (*books*)
remarquer, to remark, notice
se remémorer, to recollect, remember
remettre (like *mettre*), to deliver, turn over, put back, put off, entrust (with); restore (*health*)
remonter, to go up
remords, *m.*, remorse
remorqueur, *m.*, tugboat
remplir (de), to fill (with)
remuer, to move; se —, to be astir, bestir oneself
renard, *m.*, fox
rencontrer, to meet, encounter

rendre, to render, pay; — compte, take account of, notice; give, produce; se —, to make (render) one's self, to repair to, proceed to

renfermer, to contain, enclose

se renfoncer, to snuggle deep, to bury one's self

renommée, *f.*, renown

renoncer, to renounce, to give up, cease

renouer, to reknot, refashion, take hold once more

renouveler, to renew

rente, *f.*, income; — viagère, life annuity

rentrer, to return (home)

renverser, to upset, spill, reverse; — la vapeur, to reverse the engine

renvoyer, to send away

repaire, *m.*, lair, den

répandre, to shed, spill, pour out; se —, to spread

réparation, *f.*, repairs

répétition, *f.*, replica, duplicate, repetition

repétri, remolded, remodeled

replié, folded, rolled up

repos, *m.*, rest, repose

se reposer, to rest, repose

repousser, to push back

reprendre (like *prendre*), to regain, take again, resume, retake

reproduire (like *conduire*), to reproduce

repu, fed, satisfied, nourished

réseau, *m.*, net, network

résonner, to resound, ring

résoudre (2. *résolvant*, 3. *résolu* or *résous*, 4. *résous*, 5. *résolus*), to resolve

respirer, to breathe

ressentir (like *sentir*), to feel

ressort, *m.*, spring

ressortir, to stand out

ressusciter, to be resuscitated, to come to life again

reste, *m.*, remainder; du —, moreover, besides

rester, to remain, stand

restituer, to restore

résumer, to sum up

retendu, stretched again, wound (*of a spring*)

retenir (like *tenir*), to retain, hold back, remember; se —, keep back, forbear, control one's self

retentir, to resound, echo

réti-f (-ve), stubborn, wilful

retirer, to pull out, remove; se —, withdraw, leave

se retourner, to turn around

retraité, *m.*, pensioner, retired person

retrancher, to cut off

retraite, *f.*, retreat, den

réuni, fastened together

revanche, en —, on the other hand

rêve, *m.*, dream

réveil, *m.*, awakening

réveiller, to awaken; se —, to awaken

révéler, to reveal

revendre, to resell

revenir (like *venir*), to return,

come back; — **à lui,** to regain consciousness

rêver, to dream

revêtir (2. *revêtant,* 3. *revêtu,* 4. *revêts*), to put on, cover, coat; **se —,** to dress one's self

rêveu-r (-se), *adj.,* dreamy

revisser, to rethread, repair the screw

révolté, rebelled, revolted, escaped, mutinous

révulsé, displaced, rolled back

rez-de-chaussée, *m.,* ground floor

rhume, *m.,* cold (*disease*)

riant, smiling, cheerful, jovial

ricaner, to sneer, chuckle

ride, *f.,* wrinkle

rideau, *m.,* curtain

rider, to wrinkle

rigueur, *f.,* severity, harshness, sterness

rire (2. *riant,* 3. *ri,* 4. *ris,* 5. *ris*), to laugh

risquer, to risk

rivé, riveted

rôder, to roam, prowl

rodeur, *m.,* prowler

roi, *m.,* king

roide (**raide** *in modern French*), stiff

roidi (**raidi**), stiffened

rongé, eaten

rosée, *f.,* dew

rosier, *m.,* rose tree

rouet, *m.,* spinning wheel

rougeaud, ruddy

rougeâtre, reddish

rougeur, *f.,* redness

rougir, to blush

rouillé, rusty

roulement, *m.,* rolling, rumbling

rouler, to roll, swing

roussâtre, reddish

rouvrir (like *ouvrir*), to reopen; **au —,** on reopening

rou-x (-sse), red, reddish

rue, *f.,* street

rugueu-x (-se), rough, rugged

ruisseler, to stream down, trickle down

rumeur, *f.,* noise, uproar

rusé, cunning, artful, wily

S

sable, *m.,* sand

sablé, graveled

sac, *m.,* — **à malices,** trickbag

saccadé, jerky, abrupt

sacerdotal, priestly, sacerdotal

sacré, sacred

sacrificateur, *m.,* sacrificer

sain, healthy

saisir, to seize, grasp, snatch

saisissement, *m.,* seizure, shock

salle, *f.,* room, hall

salon, *m.,* drawing-room, hall

saluer, to greet, bow

salut, *m.,* safety, salvation, recovery, (the act of) saving

salvat-eur (-rice), saving

sang, *m.,* blood

sang-froid, *m.*, self-posses-
sion, coolness, composure

sanglant, bloody, bleeding

sanglier, *m.*, wild boar

sangloter, to sob

sangsue, *f.*, leech

sanguinaire, s a n g u i n a r y,
bloodthirsty

sannyâsi, *m.* (*Hindustani*), a
Brahman of the fourth
order, a religious mendicant

santé, *f.*, health

sarcler, to prick (*usually
means " to weed out " a
garden*)

saturer, to saturate

sauf, *prep.*, except

sau-f (-ve), *adj.*, safe

saut, *m.*, jump

sauter, to jump

sauvage, *m.*, savage

sauver, to save; se —, to run
away, escape

saupoudré, sprinkled

savant, *m.*, savant, learned
man

savate, *f.*, old shoe, slipper

savoir (2. *sachant*, 3. *su*, 4.
sais, 5. *sus*, 6. *saurai*, 8.
sache, 9. *sachions*, 10. *savais*, impf.; *sache, sachons,
sachez*, impv.), to know;
(*before inf.*) to know how
to; en — plus long, to know
more

savoir-faire, *m.*, dexterity,
skill

savourer, to taste

scélérat, villainous, vile; *n. m.*
scoundrel

scellé, fastened, cemented

scie, *f.*, saw

scintillement, *m.*, sparkling,
twinkling

scintiller, to scintillate,
sparkle

séant, *m.*, redresser sur
son —, to sit up (in bed)

sec (sèche), dry, barren,
plain, sharp

sécher, to dry up, wither

secouer, to shake

secours, *m.*, help, relief;
au —! Help!

secourir (like *courir*), to aid,
help, succor

secousse, *f.*, shock, jolt, attack

Seigneur, *m.*, Lord

sein, *m.*, breast

séjour, *m.*, stay, sojourn

selon, according to

semaine, *f.*, week

semblable, similar, of the kind

semblant, faire — de, to
make a pretense of, to
pretend

sembler, to seem, appear;
que vous semble de . . . ,
what do you think of . . .

semé, sowed, spread, interspersed

sénilité, *f.*, senility, old age

sens, *m.*, sense

sensible, sensitive, tender

sensitive, *f.*, sensitive person
(*extremely susceptible to
hurt*)

sentiment, *m.*, sensation, feeling, consciousness

sentir (2. *sentant*, 4. *sens*), to feel, smack of, indicate; se —, to feel

serein, serene

sérieu-x (-se), solid, substantial, important

serre, *f.*, conservatory, hothouse

serrer, to enclose, grip, choke, squeeze, put aside

serrure, *f.*, lock

serrurier, *m.*, locksmith

sertir, to set (*a stone, jewelry*)

service, *m.*, business, duty

servir (2. *servant*, 4. *sers*), to serve; to pay (*a pension*)

serviteur, *m.*, servant

seuil, *m.*, threshold

seul, sole, only, alone

sève, *f.*, sap, vigor, strength

sévir, to rage

sherry, *m.*, sherry (*a still white wine made in the vicinity of Jerez, near Cadiz, Spain*)

sibylle, *f.*, sibyl (*prophetess, seeress*)

siècle, *m.*, century

siège, *m.*, seat, place

sierra, *f.*, mountain range

siffler, to whistle, hiss, wheeze, buzz

signaler, to indicate

signifier, to signify, mean

sillage, *m.*, furrow, path

sinon, but, except for, other than

sinueu-x (-se), sinuous, winding

slave, Slav, Slavonic

Sloca (or Sloka), *m.*, couplet (*literary distich used in ancient Hindu epic poetry*)

socle, *m.*, pedestal, base, stand

soie, *f.*, silk

soierie, *f.*, silk goods, silks

soif, *f.*, thirst; avoir —, to be thirsty

soigné, careful, well-directed

soin, *m.*, care

soir, *m.*, evening

soirée, *f.*, evening, course of the evening; party

soit, ainsi —, so be it!; — . . . —, whether . . . or

sol, *m.*, earth, soil

soleil, *m.*, sun; plein —, the open sunlight

solide, solid, sound, strong

sombre, dark

sommaire, summary, brief

somme, *m.*, nap (*sleep*); du meilleur —, soundly

sommeil, *m.*, sleep

sommeiller, to slumber, doze, be dormant

sommer, to summon, call upon

somnambule, *m.* or *f.*, medium; sleepwalker, somnambulist

sonder, to sound, probe, explore

songe, *m.*, dream

songer (à), to think (about)

songerie, *f.*, musing, reverie

sonner, to ring, resound; ne — mot, not to breathe a word, let fall a hint sonnette, *f.*, bell

sonore, sonorous, ringing

sorcellerie, *f.*, sorcery, witch-craft

sorci-er (-ère), *m.* or *f.*, sorcerer (sorceress)

sort, *m.*, fate, spell

sorte, *f.*, de la —, in this way; de (or en) — que, so that

sortir (2. *sortant*, 4. *sors*), to go out, to issue

se soucier, to care, worry

soudain, *adj.*, sudden; *adv.* suddenly

souffle, *m.*, breath, puff, gust

souffler, to blow, blow out, puff, breathe

soufflet, *m.*, bellows

souffrance, *f.*, suffering; jour de —, borrowed light

souffrant, unwell, ailing

souffrir, to suffer (like *ouvrir*)

soulever, to lift, raise

soumettre (like *mettre*), to undergo, submit; soumis, submissive

soupçon, *m.*, suspicion, distrust

soupçonner, to suspect

soupente, *f.*, loft, garret

souper, to sup, take supper; *n. m.* supper

soupir, *m.*, sigh

soupir-ail (-aux), *m.*, air hole, vent

souplesse, *f.*, suppleness, pliancy

source, *f.*, source, spring

sourcil, *m.*, eyebrow

sourd, muffled, dull

souricière, *f.*, mousetrap; faire —, to act as a trap

sourire, *m.*, smile

souris, *f.*, mouse

sous-chef, *m.*, assistant head, deputy chief

se soustraire (like *extraire*), to escape (from)

soutenir (like *tenir*), to sustain, support, maintain

souterrain, subterranean

souvenir, *m.*, memory

se souvenir (de) (like *venir*), to remember

souvent, often

spectre, *m.*, spectrum

stationner, to stand

statuer, to ordain, decide, decree

strier, to streak

stuc, *m.*, stucco

subir, to undergo, submit to

subit, sudden

subtil, subtle, keen

sueur, *f.*, perspiration, sweat

suffire (2. *suffisant*, 3. *suffi*, 4. *suffis*, 5. *suffis*), to suffice, be enough

suffisamment, sufficiently

suisse, *m.*, head porter, Swiss

suivant que, according as

suivre (2. *suivant*, 3. *suivi*, 4. *suis*, 5. *suivis*), to follow, adjoin

supérieur, upper

supplice, *m.*, torture, torment

supporter, to support, bear

supprimer, to suppress, do away with, leave out

sûr, sure; *adv.* surely

suraigu (-guë), shrill, piercing

surcroît, *m.,* increase

surexcité, overexcited

sur-le-champ, immediately

surnaturel, supernatural

surgir (2. *def.* 3. *def.* 4. *il surgit,* 5. *il surgit,* 6. *il surgira,* 7. *ils surgissent,* 8. *def.,* seldom used except in the infinitive), to surge up, spring up; *n. m.,* surge, rise

surprendre (like *prendre*), to surprise, come upon, catch sight of

sursaut, en —, with a start

surtout, especially, above all

susceptible, sensitive, easily affected

susciter, to stir up, excite, rouse

suspendre, to hang up, suspend

sylphide, *f.,* diminutive sylph (*an imaginary being inhabiting the air*)

syncope, *f.,* swoon, faint

T

tableau, *m.,* picture, scene; placard, square

tache, *f.,* spot, stain, speck

tacher, to spot

tâche, *f.,* task

tâcher, to try, attempt

taie, *f.,* film (*on the eye*); tick, case for a mattress

taille, *f.,* size

taillé, cut, shaped

tailleur, *m.,* tailor

tain, *m.,* tin-leaf, tin-foil, silvering (*on the back of a mirror*)

talmudiquement, Talmudicly (*by the law of the Talmud, the Jewish civil and canonical law*)

talon, *m.,* heel

tambour, *m.,* drum

tamponner, to tap, pat, mop (*the forehead*)

tandis que, while

tanguer, to pitch

tanière, *f.,* den, lair

tant, so much, so many; — **bien que mal,** as well as one can, indifferently well

tantôt, presently; — . . . —, now . . . now

tapis, *m.,* carpet

tard, late

tarder, to be long (*in doing something*)

tarière, *f.,* auger, wimble, boring implement

tasse, *f.,* cup

tâter, to feel, grope with the hand, explore; — **le terrain,** to feel one's course

tatouage, *m.,* tattooing

taudis, *m.,* hovel, tenement

teindre (like *craindre*), to stain, dye; **se faire —,** to get his hair and beard dyed

teinte, *f.,* tint, hue, shade

tel (-le), such; — . . . —, just as . . . so; **tellement,** so

témoigner, to indicate, bear witness

témoin, *m.,* witness

tempe, *f.,* temple (*side of head*)

temps, *m.,* time, weather; **faire . . . —,** it is . . . weather; **de — en —,** from time to time

tenace, tenacious

tenailles, *f., pl.,* pinchers, tongs

tendrement, tenderly

tendu, stretched (out), extended, taut

ténèbres, *f., pl.,* darkness, gloom

ténébreu-x (-se), dark, gloomy, obscure

tenir (2. *tenant,* 3. *tenu,* 4 *tiens,* 5. *tins,* 6. *tiendrai,* 7. *tiennent,* 8. *tienne,* 9. *tenions*), to hold, have, contain; **— à,** to be able to stand, endure (something); **n'y — plus,** not able to stand it any longer; **je n'y tiens pas,** I am not particular about it; **il ne tient qu'à lui de . . . ,** it only depends on him to . . . , rests with him to . . . ; **se —,** to stay, remain, rest, stand

tentative, *f.,* attempt

tenter, to attempt

tenue, *f.,* uniform; **en grande —,** in full uniform

terminer, to finish

terne, dull, pale, colorless, spiritless

terrain, *m.,* land, field; **tâter le —,** to feel one's course

terrassé, overpowered, downed

terre, *f.,* earth

terreu-x (-se), earthy, dirty

testament, *m.,* will, testament

tête, *f.,* head

thaumaturge, *m.,* magician, worker of miracles

théogonie, *f.,* theogony (*genealogy of the gods*)

tiède, warm, tepid, mild

tige, *f.,* rod, stem

tign᷒᷒, *f.,* shock of hair (*ugly, unruly*)

timbre, *m.,* timbre (*music*), tone quality; whistle (*fam.*)

tirant sur, quite near, not far from (*fam., usually said of colors*)

tirer, to draw, pull, withdraw, take, draw up, shrink; **— les yeux,** to strain the eyes; **— à conséquence,** to be of consequence, important

tiroir, *m.,* drawer

tissu, *m.,* entanglement, mat

toile, *f.,* web, canvas

toit, *m.,* roof

tombeau, *m.,* tomb

tomber, to fall; *n. m.,* fall (*of day*)

ton, *m.,* tone, accent

tordre, to twist

torréfié, roasted, scorched

torse, *m.,* trunk, torso

tort, *m.,* wrong; **avoir —,** to be wrong; **à — et à travers,** at random, this way and that; **faire du —,** to harm

touchant, concerning

toucher (à), to be drawing near

toupie, f., top (toy)

tour, m., turn, trip, round, trick, feat; circumference, circuit; — à —, by turns; jouer un mauvais —, to play a mean trick; faire un —, to take a stroll

tourbillon, m., whirlwind

tourbillonner, to whirl around

tournant, winding, spiral

tout, adj., all, any; adv. quite; — à fait, quite, entirely; — à l'heure, presently; — le monde, everybody; n. m., everything; toutefois, still, however, yet

train, m., en — de, in the act of

traîner, to drag, lie about, pull, tow, draggle; se —, to drag one's self, crawl

trait, m., feature

traité, m., treatise

trajet, m., course, trip, journey

tranquille, quiet, calm, tranquil, easy; sois —, never fear (mind)

transe, f., fear, fright, mortal terror

transmettre (like mettre), to transmit

transmigrer, to transmigrate

transport, m., transport (ship)

trappe, f., trapdoor

travail, m., work, workmanship

travers, à — de, across, through; en — de, across, crosswise; à tort et à —, at random, this way and that

traverse, f., crosspiece

traverser, to pass through, pierce

trébucher, to stagger

tremblotant, tremulous, flickering, wavering

trémébond (from Latin "tremebundus"), trembling

trépidation, f., vibration, tremor

trépied, m., tripod, stand

tressaillir, to start, throb

trêve, f., truce, rest

tricorne, m., cocked hat, three-cornered hat

tringle, f., bar; curtain rod

tripes, f., pl. (fam.), intestines, insides

triste, sad, melancholy, dull, dejected, dreary

tristesse, f., sadness

troismâts, m., three-master (sailing vessel)

trombe, f., hurricane, tornado, gust

trompe, f., trunk (elephant)

trompe-l'œil, m., deception, illusion; adj. deceptive, illusory

tromper, to deceive; se —, to be mistaken

tronc, m., trunk

trottoir, m., sidewalk

trou, m., hole

trouble, troubled, turbid, disturbed

troubler, to disturb, make uneasy

troué, pierced, perforated

trousses, à ses —, at his (her) heels

se **trouver,** to be (*location or condition*); to happen, happen to be, chance; **— mal,** to be taken ill

tuer, to kill; **se —,** to kill one's self, commit suicide

turlutaine, *f.*, mania, hobby

tuyau, *m.*, tube, cylinder

U

unique, *adj.*, only, sole

usage, *m.*, custom, usage

usure, *f.*, usury

utile, useful

V

vacillant, wavering, uncertain, vacillating

vaincre (2. *vainquant,* 3. *vaincu,* 4. *vaincs,* 5. *vainquis*), to conquer, overcome, defeat

valet de pied, *m.*, footman

valoir (bien) (2. *valant,* 3. *valu,* 4. *vaux,* 5. *valus,* 6. *vaudrai,* 8. *vaille,* 9. *valions,* 10. *no impv.*), to be worth; **— mieux,** to be better to . . .

vanté, praised, extolled

vapeur, *f.*, steam; **renverser la —,** to reverse the engine

vaporeu-x (-se), ethereal, mistlike

vase, *f.*, mud

vautour, *m.*, vulture

veille, *f.*, eve, day before; **à la —,** on the eve

veiller, to watch

veilleuse, *f.*, night-lamp, watch-light

velours, *m.*, velvet

se **velouter,** to grow velvety

vendre, to sell

venin, *m.*, venom

venir (2. *venant,* 3. *venu,* 4. *viens,* 5. *vins,* 6. *viendrai,* 7. *viennent,* 8. *vienne,* 9. *venions*), to come; **— à,** to happen to . . . ; **— de,** to have just . . . ; **s'en —,** to come away from it

Venise, *f.*, Venice

vent, *m.*, wind

ventre, *m.*, stomach, body

venue, *f.*, coming

ver, *m.*, worm

Verbe, *m.*, the Word, Gospel (*religion*)

vermoulu, worm-eaten

verre, *m.*, glass

verrou, *m.*, bolt

vers, *prep.*, about, toward, near, somewhere near

verser, to pour out

vert, green; **— de mer,** sea-green

vertige, *m.*, dizziness, giddiness

vertigineu-x (-se), productive of dizziness, inebriating

vertu, *f.*, virtue

veste, *f.*, jacket, coat

vêtements, *m.*, *pl.*, clothes, garments

vêtu, dressed

viande, *f.*, meat

vibrant, shaky, vibrant

vide, empty

vider, to empty

vieille fille, *f.*, old maid, spinster

vieillesse, *f.*, old age

vieillir, to age; grow old

vieillotte, *f.*, little old woman

vierge, virgin

vieux (vieil, -le), old

vigueur, *f.*, force, vigor; avec —, sharply

ville, *f.*, city

vin, *m.*, wine

vinaigre, *m.*, vinegar

vis-à-vis, opposite

visage, *m.*, face

visible, able to receive (*a caller*)

vite, quickly, fast

vitaliser, to vitalize, make alive

vitesse, *f.*, speed

vitre, *f.*, window pane

vivant, *m.*, living being

vivement, briskly, quickly

vivifier, to give life, vivify

vivre (2. *vivant*, 3. *vécu*, 4. *vis*, 5. *vécus*), to live, be living

voie, *f.*, way, track

voile, *m.*, veil, cover

voisin, neighboring; *n. m.* neighbor

voisinage, *m.*, vicinity, proximity

voiture, *f.*, carriage

voiturer, to carry, convey

voix, *f.*, voice; — chevrotante, tremulous voice

vol, *m.*, robbery, theft; flight

volcan, *m.*, volcano

voler, to fly; to rob

voleur, *m.*, robber, burglar

volonté, *f.*, will (power)

volontiers, willingly

voltiger, to fly about, flutter

volute, *f.*, scroll

vomir, to vomit

vouloir (2. *voulant*, 3. *voulu*, 4. *veux*, 5. *voulus*, 6. *voudrai*, 7. *veulent*, 8. *veuille*, 9. *voulions*, 10. *veuillez*, impv.), to wish, want; — dire, to mean; en — à, to bear a grudge; *n. m.*, will

voûte, *f.*, arch, vault

voyage, *m.*, trip, journey; de —, traveling

voyageur, *m.*, traveler

vrai, true

vue, *f.*, view, sight, outlook; en — de, in view of, with a view to

vulgaire, common

W

wagon, *m.*, railway coach

Y

yeux (*pl. of* oeil)

Yeux-Tirés, *m.*, Slant-Eyes, Chinese

yoghi (*Hindustani*, yogi), *m.*, a devotee, an ascetic, a magician

Z

Zigeiner (*German*, Zigeuner), *m.*, Gypsy, Bohemian